KB067131

NEW 서울대 선정 인문고전 60선

52

이이 성학집요

NEW 서울대 선정 인문 고전 52

개정 1판 1쇄 발행 | 2019. 8. 21
개정 1판 3쇄 발행 | 2025. 1. 11

곽은우 글 | 이진영 그림 | 손영운 기획

발행처 김영사 | 발행인 박강휘
등록번호 제 406-2003-036호 | 등록일자 1979. 5. 17.
주소 경기도 파주시 문발로 197 (우10881)
전화 마케팅부 031-955-3100 | 편집부 031-955-3113~20 | 팩스 031-955-3111

값은 표지에 있습니다.
ISBN 978-89-349-9477-0
ISBN 978-89-349-9425-1 (세트)

좋은 독자가 좋은 책을 만듭니다. 김영사는 독자 여러분의 의견에 항상 귀 기울이고 있습니다.
전자우편 book@gimmyoung.com | 홈페이지 www.gimmyoung.com

이 도서의 국립중앙도서관 출판예정도서목록(CIP)은 서지정보유통지원시스템 홈페이지(http://seoji.nl.go.kr)와
국가자료종합목록시스템(http://www.nl.go.kr/kolisnet)에서 이용하실 수 있습니다. (CIP제어번호 : CIP2018043083)

| 어린이제품 안전특별법에 의한 표시사항 | **제품명** 도서 **제조년월일** 2025년 1월 11일
제조사명 김영사 **주소** 10881 경기도 파주시 문발로 197 **전화번호** 031-955-3100 **제조국명** 대한민국
사용 연령 10세 이상 **⚠주의** 책 모서리에 찍히거나 책장에 베이지 않게 조심하세요.

미래의 글로벌 리더들이 꼭 읽어야 할 인문고전을 만화로 만나다

NEW
서울대 선정
인문고전
60선
52
이이 성학집요
곽은우 글 · 이진영 그림

주니어김영사

| 기획에 부쳐 |

〈NEW 서울대 선정 인문고전60〉이 국민 만화책이 되기를 바라며

제가 대여섯 살 때 동네 골목 어귀에 어린이들에게 만화책을 빌려주는 좌판 만화 대여소가 있었습니다. 땅바닥에 두터운 검정 비닐을 깔고 그 위에 아이들이 좋아하는 만화책을 늘어놓았는데, 1원을 내면 낡은 만화책 한 권을 빌릴 수 있었지요. 저는 그곳에서 만화책을 보면서 한글을 깨쳤고 책과의 인연을 맺었습니다.

초등학교 때는 용돈을 아껴서 책을 사서 읽었고, 중학교 때는 학교 도서 반장을 맡아 도서관에서 매일 밤 10시까지 있으면서 참 많은 책을 읽었습니다. 그 무렵 헤밍웨이의《노인과 바다》를 손에 땀을 쥐며 읽으면서 인생에 대해 고민했고, 헤르만 헤세의《수레바퀴 아래서》를 읽으며 사춘기의 심란한 마음을 달랬습니다. 김래성의《청춘 극장》을 밤새워 읽는 바람에 다음 날 치르는 중간고사를 망치기도 했습니다.

당시 저의 꿈은 아주 큰 도서관을 운영하는 사람이 되어 온종일 책을 보면서 책을 쓰는 작가가 되는 것이었습니다. 나이가 들고 어느 정도 바라는 꿈을 이루었습니다. 큰 도서관은 아니지만 적당한 크기의 서점을 운영하고, 글을 쓰는 작가가 되었거든요. 저는 여기에 새로운 꿈을 하나 더 보탰습니다. 그것은 즐거운 마음과 힘찬 꿈을 가지게 해 주고, 나아가 자기 성찰을 도와주는 좋은 만화책을 만드는 일이었습니다. 이렇게 해서 만든 책이 바로 〈서울대 선정 인문고전〉입니다. 서울대학교 교수님들이 신입생과 청소년들이 꼭 읽어야 할 책으로 추천한 도서들 중에서 따로 60권을 골라 만화로 만든 것입니다. 인류 지성사의 금자탑이라고 할 수 있는 고전을 보기 편하고 이해하기 쉽도록 만화책으로 만드는 일은 쉬운 일은 아니었습니다. 약 4년 동안에 수십 명의 학교 선생님들과 전공 학자들이 원서의 내용을 정확하게 전달할 수 있도록 밑글을 쓰고, 수십 명의 만화가들이 고민에

고민을 거듭하면서 만화를 그려 60권의 책을 만들었습니다.

〈서울대 선정 인문고전〉이 완간되었을 무렵에 우리나라에 인문학 읽기 열풍이 불기 시작했습니다. 〈서울대 선정 인문고전〉은 인문학 열풍을 널리 퍼뜨리는 데 한몫을 하면서 독자들의 뜨거운 사랑과 관심을 받았습니다. 덕분에 지금까지 수백만 권이 팔리는 베스트셀러가 되었습니다. 그 사랑에 조금이나마 보답을 하기 위해 《칸트의 실천이성 비판》, 《미셸 푸코의 지식의 고고학》, 《이이의 성학집요》 등 우리가 꼭 읽어야 할 동서양의 고전 10권을 추가하여 만화로 만들었습니다.

〈서울대 선정 인문고전〉은 어린이와 청소년이 부모님과 함께 봐도 좋을 만화책입니다. 국민 배우, 국민 가수가 있듯이 〈서울대 선정 인문고전〉이 '국민 만화책'이 되길 큰마음으로 바랍니다.

손영운

세상의 지혜를 담은 책, 《성학집요》

조선 최고의 유학자 이이(李珥)는 국가를 위해 무엇을 해야 할지 끊임없이 고민했습니다. 그가 심혈을 기울여 집필한 《성학집요(聖學輯要)》에는 국가의 최고 수장인 임금이 반드시 갖추어야 할 지식과 마음가짐이 정리되어 있습니다. 중국 고전인 《대학(大學)》의 틀을 큰 줄기로 삼아 중국과 우리나라에서 전해져 내려온 유학의 핵심을 편집해 엮었지요. 천하를 통치하기 위한 임금 맞춤형 교재를 유학의 대스승이었던 이이가 정리한 셈입니다. 이이는 이것을 선조에게 좋은 임금이 되기를 바라는 마음을 담아 바쳤습니다.

조선의 교과서, 제왕학의 표본, 한국적 리더십의 대표 저서 등으로 소개되는 《성학집요》는 지금도 고위 공직자들이 정치적 소신을 밝힐 때 가장 많이 인용되는 책이기도 합니다. 그렇다고 《성학집요》가 권력을 가진 이, 혹은 통치하는 이만을 위한 책은 아닙니다. 세상을 살아가는 데 필요한 지혜가 담겨 있는, 세상 모든 이들을 위한 책입니다.

이이는 《성학집요》에서 '입지(立志)'를 강조합니다. 입지란, '뜻을 세운다'는 의미로, '공부를 하려면 가장 먼저 뜻을 세워야 한다. 뜻을 세우지 않고는 학문을 이룰 수 없다'는 것을 강조하고 있지요.

이처럼 이이가 입지를 강조한 가장 큰 이유는 입지가 '수신제가치국평천하(修身齊家治國平天下)'라는 유학의 근본 사상 때문입니다. 《성학집요》에서 핵심적인 유학의 사상 체계를 수기(修己, 자신의 몸을 수양하다), 정가(正家, 집안을 바르게 하다), 위정(爲政, 세상을 통치하다)으로 나눈 것 또한 마찬가지 이유일 것입니다. 이를 조금 쉽게 풀어 생각해 보면 세상을 위해 일하고, 타인을 도울 수 있는 사람이 되기 위해서는 결국 자기 자신을 갈고 닦아야 한다는 말이 됩니다.

어찌 보면 《성학집요》는 시대를 넘어 자신의 현재와 미래를 고민하는 이들에게 가르침을 주는 책이라고 할 수 있습니다. 세상은 넓고 할 일은 너무 많아 어디로 어떻게 발걸음을 옮겨야 할지 고민 중이라면, 꼭 이 책을 읽어 볼 것을 권합니다. 자신의 꿈이 무엇이든, 꿈을 향한 방향을 알려 주고 꿈으로 가는 길을 잃지 않도록 다잡아 줄 것입니다.

곽은우

| 그림 작가 머리말 |

자신을 돌아보는 소중한 기회가 되기를 바라며

《성학집요(聖學輯要)》는 조선 중기의 대표적인 유학자 이이(李珥)가 쓴 책입니다. 임금이 가져야 할 마음가짐과 몸가짐, 세상을 다스리는 방법 등을 중국 고전에서 발췌해 엮은 책이지요. 이이는 선조가 현명한 임금이기를 간절히 바랐습니다. 또한 성군(聖君)이 되기를 바랐지요. 그 마음은 고스란히 이 책, 《성학집요》에 담겨 있습니다.

한마디로 《성학집요》는 이이가 선조에게 바친, 왕을 대상으로 한 정치철학 저서라고 할 수 있습니다. 그런데 재미있는 사실은 이 책을 읽다 보면 왕은 물론, 모든 사람들에게 두루두루 유익한 책임을 깨닫게 된다는 것입니다. 《성학집요》 본문 중 이런 말이 나옵니다.

> '이 책은 비록 임금의 학문에 주안점을 두었사오나 실제로는 상하에 두루 통하는 글입니다. 배우는 사람들 중에 널리 보긴 하였으나 넘치는 지식을 추스르지 못하는 자도 여기에서 공(功)을 거두어 요약하는 방법을 얻어야 하고, 배우지 못하여 고루하고 견문이 좁은 자도 여기에 힘을 다하여 학문으로 나아가는 방향을 정해야 합니다. 그러면 배움에는 빠르고 늦음이 있을지언정 모두 유익함을 얻을 것입니다.'

《성학집요》를 그리면서 이 책은 정치인들은 물론 모든 부류의 사람들이 한 번쯤은 꼭 필독해야 할 도서라는 생각을 했습니다. 이 책에 적혀 있는 대로, 생각하고 실천할 수만 있다면 모든 사람들이 서로 존중하고 존중받는 사회가 되지 않을까 하는 생각이 들더군요. 또 사회 전반에 부정과 부조리가 만연한 시대를 살고 있는 제 자신을 다시 한 번 되돌아볼 수 있는 기회가 되었습니다.

성학집요

더불어 앞으로 마음가짐이나 몸가짐, 말 한마디도 신중하게 생각해야겠다는 생각을 했습니다. 남을 배려하고 존중하는 마음 또한 앞으로 좀 더 길러야 할 덕목임을 새삼 깨달았습니다.

여러분도 이 책을 통해 자기 자신을 돌아볼 수 있는 소중한 기회를 가져 보시길 바랍니다.

이진영

| 차례 |

신하
관리

기획에 부쳐 / 4
글 작가 머리말 / 6
그림 작가 머리말 / 8

1장 《성학집요》는 어떤 책일까? 12

2장 이이(李珥)의 삶 34

3장 수기(修己) 편 - 입지(立志) 56

4장 수기(修己) 편 - 수렴(收斂) · 궁리(窮理) 68

5장 수기(修己) 편 - 성실(誠實) · 교기질(矯氣質) · 양기(養氣) 86

6장 수기(修己) 편 - 정심(正心) · 검신(儉身) 98

7장 수기(修己) 편 - 회덕량(恢德量) · 보덕(輔德) · 돈독(敦篤) 118

8장 정가(正家) 편 - 효경(孝敬) · 형내(刑內) · 교자(敎子) 134

9장 정가(正家) 편 - 친친(親親) · 근엄(謹嚴) · 절검(節儉) 150

호모
폴리티쿠스
정치

10장 위정(爲政) 편 - 용현(用賢)·취선(取善) ··· 170

11장 위정(爲政) 편 - 식시무(識時務)·입기강(立紀綱)·안민(安民) 외··· 188

12장 성현도통(聖賢道統) 편 ··· 204

이이의 스승 ① 신사임당 ··· 216
이이의 스승 ② 이황 ··· 218
이이 〈고산구곡가〉 vs 이황 〈도산십이곡〉 ··· 220
이이의 사회개혁론 ··· 222
성학(聖學)을 위한 이황의 《성학십도》 ··· 224
선조의 사람들 ··· 226
조선의 성리학 ··· 228
조선의 교육과 과거제도 ··· 230
중국의 필독 고전 《사서오경》 ··· 232
삼황오제 ··· 234

올바른 교육
개혁

1장

《성학집요》는 어떤 책일까?

《성학집요》는 조선시대 이이(李珥) 선생이 쓴 책이야.
성학집요

율곡 이이는 퇴계 이황과 더불어 조선 최고의 유학자였지.
이이
이황

《성학집요》는 한자로 '聖學輯要'라고 쓰는데 이 한자의 뜻을 알면 책의 내용을 대강 짐작할 수 있어.
聖 學 輯 要

성학(聖學)의 성(聖)은 성인(聖人)이나 임금을 가리킬 때 쓰는 한자야.

聖

성인·임금 성

학(學)은 다 알겠지만 '배운다'는 뜻을 가지고 있어.

學

배울 학

그러니까 성학은 '성인 또는 임금이 배워야 할 학문과 지식'이라는 뜻이 되겠지?
성학

집요(輯要)란 '편집하다, 모으다'의 뜻을 가진 '집(輯)'자와

'필요하다, 요약하다'라는 의미로 사용하는 '요(要)'자를

결합한 단어야.
輯要

따라서 《성학집요》는 성인 또는 임금이 꼭 알아야 할 학문의 핵심을 추려서 정리한 책이야.
임금이 꼭 알아야 할
학문
핵심

중요한 것만 모아 놓았으니 당시 사람들에게 인기가 아주 많았을 거야.
부럽다.
대형 베스트셀러 이이의 《성학집요》
품절

너희들도 '핵심 체크'라는 제목으로 된 참고서를 좋아하잖아?
핵심 체크 참고서

실제로 《성학집요》는 경연에서 임금님의 교과서로 사용되기도 했어.
수업 시작하겠어요. 교과서 펼치세요.
네~
성학집요

경연은 조선시대의 임금과 신하들이 함께 학문을 배우고 토론하던 자리라는 건 다 알지?
학문 토론

뿐만 아니라 유학의 주요 핵심이 잘 정리되어 있었기 때문에
탁
《성학집요》 유학의 주요 핵심
탁

유학을 공부하는 일반 선비들에게도 학문의 지침서로 많이 읽혔어.
《성학집요》 -학문의 지침서-

이처럼 《성학집요》는 조선시대의 유학자들에게 널리 칭송을 받은 책이야.
칭송

특히 조선 후기의 대표적인 실학자였던 홍대용(洪大容)은 사회를 경영하는 데 꼭 필요한 책으로 유형원의 《반계수록(磻溪隨錄)》과 이이의 《성학집요》를 꼽았지.
필독서!
반계수록
성학집요
참고로 내가 쓴 책은 《의산문답》이야. 시간 나면 읽어 봐.

이처럼 《성학집요》는 왕의 교과서였고,
학교 다녀오겠습니다.
교과서 가져가야지.
성학집요

조선시대 선비들의 오랜 필독서였으며
성학집요

사회 개혁과 경영의 지침서였단다.
성학집요
사회 개혁과 경영

비슷한 제목의 책으로 이황의 《성학십도》가 있어.
聖學十圖

책 제목이 비슷해 시험에 잘 나오니까 정신 차리고 들어 봐.
성학집요
성학십도

聖學十圖

이황 vs 이이

《성학십도》 vs 《성학집요》

聖學輯要

두 책을 간단히 비교하면 《성학십도》는 '성학'의 내용을 열 가지 그림으로 설명한 책이고,

제 1
제 2
제 3
제 4 도
제 5 도
제 6 도
제 7
제 8
제 9 도
제 10 도

《성학집요》는 성인(聖人)과 임금이 알아야 할 유학 경전을 요약 정리한 책이라고 할 수 있어.

유학 경전
《성학집요》
유학 경전
요약 정리

《성학십도》를 지은 이황과 《성학집요》를 지은 이이는 비슷한 시대를 살았어. 이황은 이이가 아주 존경한 선배라고 해.

조선 중기

이름도 비슷한 이이와 이황은 조선의 유학사(史)에서 학자로서의 위치도 비슷해.

조선의 대표적
유학자
이이와 이황

심지어 둘이 지은 시의 제목도 비슷하단다. 같은 연시조로 이황의 〈도산 12곡〉과 이이의 〈고산 9곡가〉가 있지. 정말 비슷하지?

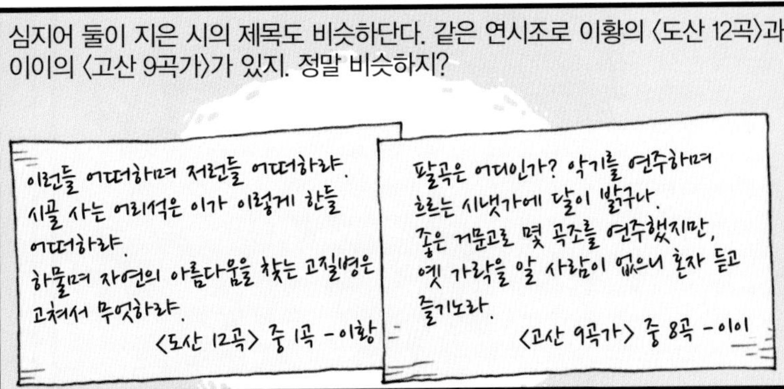

이런들 어떠하며 저런들 어떠하랴.
시골 사는 어리석은 이가 이렇게 한들
어떠하랴.
하물며 자연의 아름다움을 찾는 고질병은
고쳐서 무엇하랴.
〈도산 12곡〉 중 1곡 -이황
팔곡은 어디인가? 악기를 연주하며
흐르는 시냇가에 달이 밝구나.
좋은 거문고로 몇 곡조를 연주했지만,
옛 가락을 알 사람이 없으니 혼자 듣고
즐기노라.
〈고산 9곡가〉 중 8곡 -이이

하지만 좀 더 깊이 들어가면 두 사람의 학문적 경향이 다르다는 걸 알 수 있어.

학문적 방향
이황
이이

이건 너희들이 좀 더 공부해야 할 부분이니까 숙제로 남겨 둘게.

책 제목의 의미를 알았으니
이제부터 이이가 왜《성학집요》를
썼는지 알아볼까?
성학 집요

왜 조선의 천재 유학자가 유학의
요약본을 집필했을까?
《성학집요》
유학의
요약본

유학에 관한 모든 지식을 섭렵했던
이이에게 요약본은 사실 큰 의미가
없었을 텐데 말이야.
와구 와구
유학

이유는 열여섯이라는 어린 나이에 왕위에 올랐던
선조(조선 제14대 왕, 재위 1567~1608) 때문이었어.
제14대 임금
경 선조 즉위식 축

선조를 제대로 가르쳐 성군(聖君)으로 만들어야겠다는
충심에서《성학집요》를 썼지.
성학집요
성군

이이는 선조 때 여러 요직을 거치면서
선조를 가까이에서 지켜볼 수 있었어.
왜 뒷간도 같이
들어가지?
여러 직책
벌 벌 벌

이이는 매우 영민했던 선조가
비가
오려나?
뚝

시간이 지날수록 충신들의 간언(諫言)은 귀담아듣지
않고
전하~ 간곡히
간언드리옵니다~
렛잇고~
렛잇고~

개혁 의지 또한 약해지는 것이 안타까웠단다.
저기까지 가기 귀찮아.
개혁
ON
OFF

선조가 스물다섯 살이 되자

후~
25

이이는 임금으로서 가져야 하는 마음가짐과 인격 수양의 방법,

정치와 나라 경영의 시작과 끝에 대해 쓴 《성학집요》를 만들어 바쳤어.

정치
가계부
성학집요

잠깐! 선조는 신하에게 받은 책이 하나 더 있었어.

바로 앞에서 말한 《성학십도》야.

성학십도

이 책은 1568년에 예순여덟 살의 노학자 퇴계 이황이 열일곱의 선조에게 만들어 바친 거야.

부디 성군이 되시옵소서.
성학십도

선조는 조선을 대표하는 유학자 이황과 이이의 극진한 가르침을 받았으니

선조 교육
이황
이이
조선을 대표하는 유학자

학문적으로 참 복이 많은 임금인 셈이지.

학문
福
여복(女福)도 많았으면….

하지만 안타깝게도 선조는 주변에 이황, 이이와 같이 실력 있는 인재들이 있었음에도

인재
인재
인재
인재
인재
인재
인재

이들의 말을 행동으로 옮기지 못했어.

실천

덕분에 선조는 백성과 함께 큰 환란을 겪어야 했지.

환란

선조 때 있었던 가장 큰 환란은 바로 임진왜란(1592~1598)이었어.
쿵
침략
조선
왜(일본)

임진왜란으로 조선의 국토는 황폐해지고 백성들은 아주 큰 피해를 입었지.
타스므니다♪

임진왜란이 일어나기 전, *병조판서에 있던 이이는
국방부장관

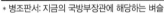

선조에게 외적의 침입에 대비해야 한다고 주장했어. 하지만 선조는 이이의 충언을 귀담아듣지 않았지.
전하~.
툭
국방을 강화하여 외적의 침입에 미리 대비하셔야 할 줄 아옵니다.

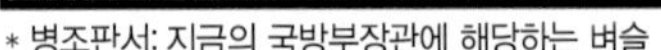
* 병조판서: 지금의 국방부장관에 해당하는 벼슬

임금의 무능함 탓에 당시 조정은 남인과 서인의 당쟁으로 시끄러웠단다.
잘하면 치겠다?
누가 할 소릴!
남인
서인

이이, 이황, 유성룡, 이순신 등 탁월한 능력을 갖춘 인재들이 선조 곁을 지켰지만
잘생긴 내 얼굴 가리거든!
이이
이황
유성룡
이순신
쿵
쿵
쿵
쿵

선조는 이들과 함께 개혁과 쇄신의 정치를 펼치지 못했고
개혁
쇄신의 정치

결국 나라를 잃기 직전까지 가는 위기에 처하기도 했어.
우리 집에서 나가 주시므니다.
조선

이 일로 선조는 훗날 무능한 임금으로 평가받았단다.
무능

이이는 선조의 불행한 미래를 예견하고

《성학집요》를 써서 바쳤는지도 몰라.
부디 성군이 되시옵소서.
성학 집요

그는 선조가 《성학집요》를 열심히 읽고
오~! 이런 내용이?

바른 정치를 해서
바른 정치

후손들에게 훌륭한 임금으로 인정받기를 바랐던 거야.
아빠, 저분 누구야?
선조대왕이라고 정치를 아주 잘하신 분이시지.
선조대왕

하지만 이이의 충심은 열매를 맺지 못했어.

당시 조정은 붕당과 당쟁의 소용돌이로 혼란스러웠거든.
남인
권력 다툼
서인

정치적 혼란으로 나라를 이끌어가야 할 사대부들은 분열되었고,
사대부
분
열

그 사이에서 중심을 잡지 못했던 임금은 제대로 개혁을 추진하지 못했어.
ON
OFF
혁
개

선조의 못난 모습을 본 이이는 크게 실망했어.
실
망
개
혁

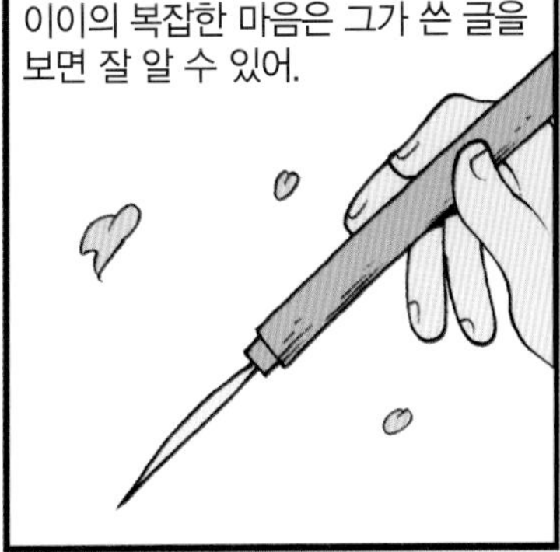
이이의 복잡한 마음은 그가 쓴 글을 보면 잘 알 수 있어.

총명한 자질을 갖고 있지만 도량이 넓지 못해
남이 단점을 지적하면 자신을 알아주지 못한다며 받아들이지 않고,
자신이 잘한다고 생각하는데 더 잘하라고 충고하면
거꾸로 방향을 선회해 버리는 객기를 부리며,
유능한 사람을 전적으로 믿지 못하고,
잘못된 사람도 과감하게 청산하지 못한다.

이이는 용기가 대단했던 사람이었어.
용기

한 나라의 왕에게 일개 신하가 이렇게 심한 말을 직설적으로 한다는 건 결코 쉬운 일이 아니거든.

군신 사이의 엄격한 질서를
강조했던 조선시대에
이….

이런 말을 하는 건 목숨을 걸지
않고는 할 수 없는 일이었지.
스릉~

하지만 선조는 인재들을 사랑한
임금이기도 했어.
이벤트 해 준 거야. 많이 놀랐어?
다시는 하지 마요.
LOVE

선조는 신하들의 직언과 충고를 막지는 않았지.
다음에 또 할 말 있으면 해. 알았지?
정말요?

다만 이런 충언을 듣고도 실천하지 않았을 뿐이야.
아 하 아 함~
사람은 한결같아야 해.

임진왜란이나 정유재란과 같은 전쟁이 닥칠 것이니 미리 철저한 대비를 하자던 신하들의 충언에 귀를 기울였다면 조선의 역사를 새로 쓸 수 있었을 텐데 말이야.

내가 솔선수범하여 정치 개혁을 서둘렀다면 조선을 황폐화시킨 7년 간의 전쟁을 막을 수도 있었을 텐데….

정치 개혁

왜(일본)

이이는 《성학집요》를 임금에게 바칠 목적으로 썼기 때문에 책의 체계를 세우고 글을 쓸 때 좀 더 정확한 내용을 담기 위해 노력했을 거야.

정 확
성학집요

그래서 자기의 생각이나 주장을 담기보다는 고전으로 널리 인정받은 《대학》을 큰 골격으로 삼았어.

대학
논어
중용
맹자
서경
시경
역경
예기
춘추
성학집요

이이도 《성학집요》의 머리글에서 《대학》의 형식을 그대로 따라 저술했다고 밝혔거든.

先正表章大學　以立規模
(선정표장대학)　(이립규모)

선정께서 먼저 《대학》을 드러내어 규모를 잡았사옵니다.

– 《성학집요》 중

《대학》은 49편으로 구성된 《예기(禮記)》라는 책에서 42편만 따로 떼어내 만든 책이야.

독립
예기
1 2 3 4 5 …… 41
43 …… 49
예기 42
<대학>

《논어》, 《맹자》, 《중용》과 함께 사서(四書)로 불리는 유학의 경전으로 오늘날에도 많은 사람들에게 읽히는 책이기도 하지.

논어 맹자 중용 대학

이이는 선조가 생략과 함축이 많은 《대학》의 글을 마음에 새기며 꼼꼼히 읽을 거라곤 생각하지 않았어.

읽기가 어렵다.
침 침..
대학

그래서 《대학》의 차례인 삼강령 팔조목에 따라 그 내용을 서술하되 알기 쉽게 해설을 붙였어.

성학
해설집
대학의 체제

여기에 다른 유학 경전에서 연관된 내용을 찾아 추려 넣고 자신의 설명을 덧붙여

유학 경전
설명

《성학집요》를 완성했단다. 간단히 《대학》의 차례를 소개할게.

턱
성학집요
휴

우선 《대학》의 삼강령(三綱領)이란
'세 가지 커다란 줄기'라는 뜻으로

삼
강
령

사람들이 유학을 배워야 하는 목적에 해당해.

유학
삼강령
목적

첫째 강령은 명명덕(明明德)이야.

明明德

인간의 마음에 있는 '밝은 덕'을 더욱 '밝게' 한다는 것을 말해.
즉 인간이 가지고 태어난 밝고 맑은 본성을 다시 밝혀야 한다는
의미지.

본성
본성

둘째 강령은 신민(新民)이야.

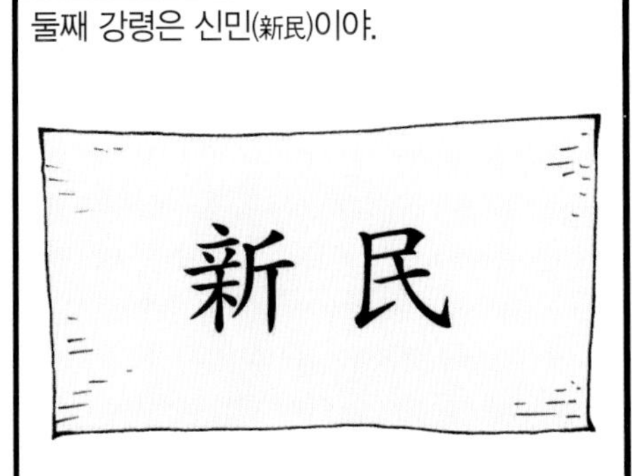
新 民

백성을 새롭게 한다는 뜻이야. 세상에는 먼저 깨닫고 아는 사람이
있는가 하면 나중에 알고 깨닫는 사람이 있지? 먼저 깨닫고
완성한 유학의 선비는 그것을 일반 백성에게 베풀어서 새롭게
태어나도록 인도해야 할 의무가 있다는 거야.

하늘 천
땅 지.
하늘 천
땅 지.

셋째 강령은 지어지선(止於至善)이야.

止於至善

이것은 높은 선(善)에 이르게 한다는 뜻으로 지선의 세계는 인간이
추구하는 가장 이상적인 세계를 의미해.

선

명명덕이 자신의 몸과 마음을 닦는다는 의미를 담은 '수기(修己)'와 가깝다면,
명명덕
수 기

신민(新民)은 친민(親民)의 의미에 가까워 '주변 사람들과 친밀하게 만든다'는 뜻을 가지고 있어.
신민
친민
친 밀

다시 말해 치인(治人, 다른 사람에게 영향을 주다)의 의미를 담고 있다고 할 수 있지.
치인
꽥
꽥

삼강령은 명명덕(明明德)과 신민(新民)을 통해 지선(至善)의 세계에 도달하는 것을 의미하고
명명덕
신 민
지선

이것이 유학의 최종 목표라고 할 수 있어.
고지가 눈앞이다.
유 학
최 종 목 표
지선 (至善)

결국 유학은 자신의 본성을 밝혀 이를 통해 백성들과 함께 이상적인 세계를 만들어 가는 것을 목적으로 한다는 것을 알 수 있어.
무릉
도원
유 학

《대학》은 개인의 도덕적 윤리를 비롯해 가정 윤리, 국가 윤리 나아가 세계 정치의 윤리까지 다 담고 있는 셈이지.
세계 정치의 윤리
국가 윤리
개인의 도덕적 윤리
가정 윤리
대 학

다음으로 팔조목이란 삼강령을 이루는 데 필요한 여덟 가지 행동 지침이라고 할 수 있어.

1
2
3
4
5
6
7
8

그 여덟 가지란,

八條目
팔조목

격물(格物, 사물을 바르게 하다),

무엇에 쓰는 물건인고?

치지(致知, 앎을 완성하다),

물놀이 튜브군.

성의(誠意, 혼자 있을 때도 성실하게 덕을 쌓다),

안으로 성실한 사람은 밖으로도 표시가 나는 법.
덕
德
德
德

정심(正心, 마음을 바르게 하다),

수신(修身, 자신을 닦는다),

인격 수양

제가(齊家, 집안을 가지런하게 하다),

家
화목

치국(治國, 나라를 다스리다),

덕(德)

평천하(平天下, 온 세상을 편안하게 하다)야.

평천하

이이는 이와 같은 《대학》의 핵심 내용을 기본 줄기로 삼고 중국의 사서(四書)인 《논어(論語)》 《맹자(孟子)》 《중용(中庸)》과 오경(五經)인 《시경》 《서경》 《역경》 《예기》 《춘추》에서 중요한 것만 골라 요약해서

친절하게 해설까지 덧붙인 '유학의 족보'를 만들었는데 그것이 바로 우리가 앞으로 배울 《성학집요》란다!
성학집요

《성학집요》는 총 다섯 편으로 이루어져 있어.

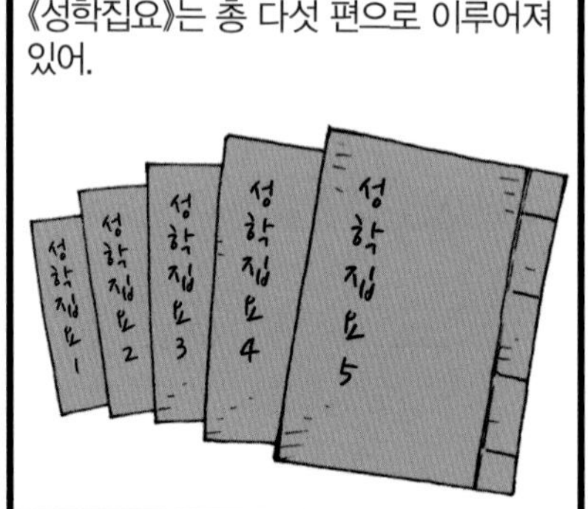
성학집요 1
성학집요 2
성학집요 3
성학집요 4
성학집요 5

제1편은 서론에 해당해.

머리글.
성학집요
1편 통설

여기서 이이는 책을 엮은 이유와 책의 내용, 책의 가치 등 성학에 대한 일반론을 설명했어.

책을 엮은
이유
내용
가치

또한 이 책은 임금을 위해 썼다는 집필 동기를 밝히고, 더불어 학문을 하는 모든 사람에게 유익했으면 좋겠다는 말을 하기도 했어.

집필 동기
바람

제2편부터 4편은 《성학집요》의 본문이라고 할 수 있어.

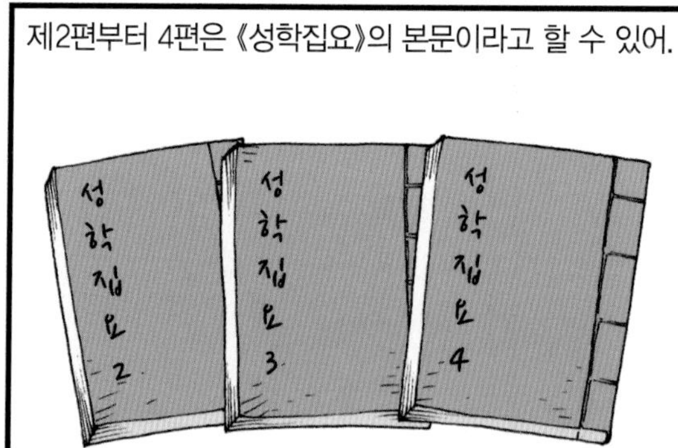
성학집요 2
성학집요 3
성학집요 4

이이는 제2편에서 자기 몸을 수양하는 방법으로 수기(修己)에 대해 말했고,

1. 수기 총론
2. 입지
3. 수렴
4. 궁리
5. 성실
6. 교기질
7. 양기
8. 정심
9. 검신
10. 회덕량
11. 보덕
12. 돈독
13. 수기 공효
성학집요 2
수기

제3편에서는 가정을 올바르게 다스리는 방법으로 정가(正家)에 대해 말했지.

1. 정가 총론
2. 효경
3. 형내
4. 교자
5. 친친
6. 근엄
7. 절검
8. 정가 공효

제4편에서는 나라를 다스리는 정신과 방법으로 위정(爲政)에 대해서 말했어.

1. 위정 총론
2. 용현
3. 취선
4. 식시무
5. 법선왕
6. 근천계
7. 입기강
8. 안민
9. 명교
10. 위정 공효

그리고 제5편은 이 책의 결론에 해당하지.

성학집요 5
성현도통

제5편에서 이이는 사람들이 과거 성현들의 업적을 배워 끊어진 도(道)를 이어가야 한다고 했어. 또 이를 위해 개인은 부지런히 자기를 수양하고,

성현
도
자기 수양

왕은 나라를 바르게 다스려야 한다는 점을 강조했지.

밑줄 쫙~!
왕은 나라를 바르게 다스려야 한다.
성학집요 5
성현도통

다음으로 《성학집요》의 서술 체계를 살펴볼까?

성학집요
서술 체계

이이는 우선 사서오경에서 각 주제에 적합한 구절을 발췌하여 책의 앞쪽에 배치했어.

성학집요 서술
사서오경 구절

그리고 주자(朱子)의 해설을 싣고 이이 자신의 견해를 사이사이에 끼워 넣었지.

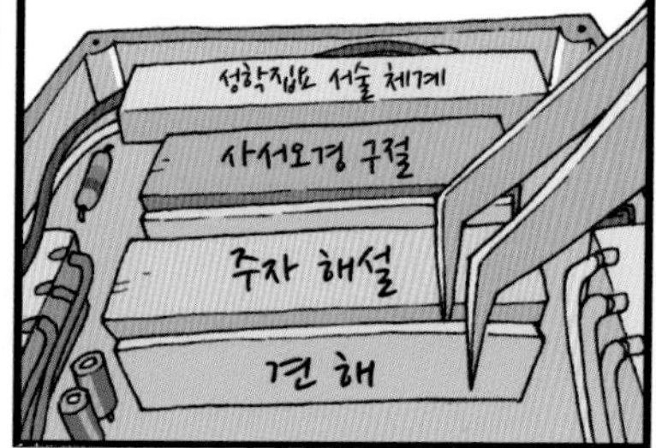
성학집요 서술 체계
사서오경 구절
주자 해설
견해

더불어 각 주제에 자신의 생각을 덧붙여 마무리했어.

견해
생각
생각
생각
각 주제

이이는 자신의 개인적 의견을
앞세우지 않고,
지익…

유교 경전과 주석을 통해
간접적으로 자신의 생각을 드러내는
방식을 택했어.
편지요~.
주석
이이 생각
유교
경전

이것은 고전의 말씀에 권위를 부여했던
당시 선비들의 글쓰기 방법이기도 해.
권위 부여
고
전

이러한 작업은 각종 경전을 깊이 있게
읽은 이이의 방대한 독서량과

꼼꼼한 기록 습관,
메
모

그리고 지식의 체계적인
구축이 있었기에
가능했지.
전
문
지
식

《성학집요》의 핵심은 본문에 해당하는 2편에서부터 4편에
있어.
2, 3, 4편
5편
1편
성
학
집
요

여기에 유학의 가장 핵심적인 가르침인
'수기치인(修己治人)'에 관한 내용이 들어 있거든.
수
기
치
인

수기치인이란 스스로 자신을
수양하고 세상을 다스린다는 뜻이야.
덕

반드시 *군자(君子)가 갖추어야 할
주요 과업으로 공자가 제시한
내용이지.
우걱 우걱.
수기치인

수기치인이 무엇인지 알고, 그것을
실천할 수 있다면 유학(儒學)은 다
배운 것이나 마찬가지야.
유학
졸업

* 군자(君子): 행실이 점잖고 어질며 덕과 학식이 높은 사람.

공자가 말하길, 바람직한 군자는
개인의 인격을 완성하는 일뿐만
아니라
인격 완성

사회적 문제를 해결하는 데에도
앞장서야 한다고 했어.
사회
적
문제

이것을 가장 잘 나타낸 말이
바로 수기치인이야.
修己治人
수기치인

수기(修己)란 '자신의 몸을 닦다'란
뜻이고,
수기
품성, 지식, 도덕

치인(治人)은 부지런히 갈고닦은
수기(修己)를 통해 다른 사람에게
긍정적인 영향을 미치는 일을 말해.
치인
수기
영향

그러니까 '수기'가 '치인'보다
선행되어야 하겠지?
또로록
수기
치인

이때 '치인(治人)'에서 치(治)는 다스린다는 의미보다 '영향을
미친다'로 해석하는 것이 더 자연스러울 것 같아.
어른은
아이의
거울
독서
독서

실제로 유학은 통치보다는 자신의 인격 수양에 좀 더
초점이 맞춰진 학문이거든.
뚜뚜뚜뚜뚜뚜
유학
인격 수양

이이는 유학을 한마디로 이렇게 정의했다고 해.

성현의 학문은
수기치인(修己治人)에
지나지 않는다.

요즘 너희들의 가장 큰
고민은 뭐니?

아마 친구 문제일 것 같은데,
맞지?

좋은 친구를 잘 사귀기 위해서는
어떻게 하면 좋을까?
또
로
록…

가장 좋은 방법은 바로
수기치인(修己治人)이야.
수기치인

치인(治人)은 수기(修己)를 통해
얻어지는 거라고 공자님이
말씀하셨잖아?

그러니까 친구들에게 인기를
얻는 가장 좋은 방법은

친구들에게 억지로 친절한 행동을
하는 것보다는
친절

내가 아주 매력적인 인간이 되는
것이지.
샤
방
샤
방

여기서 말하는 매력이란 처음 봤을 때
잠깐 시선을 끌 수 있는 외모가 주는
매력이 아니라
아차!
휘
청

마음에서 진정으로 우러나오는
따뜻함과 바른 태도에서 나오는
매력이야.
도와드릴
까요?

마음 속 깊은 곳에서부터 이 같은
매력이 자연스럽게 풍겨 나온다면
진심이
느껴져…

그 사람을 좋아하는 사람들이
많아진다는 말이야.
나도
나도
나도

이이가 살았던 16세기의 조선은 정치, 경제, 사회가 모두 혼란스러웠어.
혼란

지배 계층은 법을 제 마음대로 어겼고
법

윤리 의식이 매우 흐트러진 상태였지.
빵!
빵!
빵~

이로 인해 백성들의 삶은 궁핍해질 수밖에 없었어.
한 푼만 줍쇼!

그래서 개혁 세력은 유학의 근본 목표인 이상 사회(平天下)를 실현할 수 있는 구체적인 방법을 찾으려고 했어. 어지러운 세상을 바로잡고 민생을 구제하는 일이 절실하다고 생각해 '사회경장론'을 주장했지.
사회경장론!
사회경장론!
社會更張論
사회경장론
펄럭
펄럭
으샤!
으샤!

그들은 조선 건국 초기에 만들어졌던 각종 제도가 제대로 시행되지 못하고,
삐뚤어질 테다.
왕따
건국 초기의 법(法)

여러 가지 문제점을 낳게 되는 것을 보고
건국 초기의 법

이를 수정해야 한다고 했어.

구체적으로 오래된 법과 조세 제도를 고쳐서 백성들의 고통을 덜어 주고,
제가 도와 드릴게요.
덕분에 한결 가볍구려.
새로운 법(法)
세
금

농촌 경제를 활성화시켜
농촌경제 활성화

민생을 안정시켜야 한다고 주장했지.
개혁!
개혁!
개혁

이이는 사회 개혁을 성공적으로 수행하기 위해서는 왕을 중심으로 사회를 이끄는 지도층과 백성들 모두가 올바른 교육을 받아야 한다고 생각했어.
개혁
올바른 교육

교육을 통해서 인간이 가지고 있는 본래의 선한 마음을 다시 찾아야 한다고 믿었던 거야.
교 육

이 같은 생각의 끝이 바로 유학의 수기치인(修己治人)이야.
생각의 종착역
수기치인

이이는 개혁의 주체인 인간이 먼저 변화하지 않으면
들어가, 말아?
변화

절대로 개혁은 성공할 수 없다는 것을 잘 알고 있었어.
두 푼만 줍쇼!

더불어 자기 몸을 수양하지 않는 사람은
GOAL IN
자기 수양
자기 수양

남을 다스릴 자격이 없다고 생각했어.

이이는 《성학집요》를 통해 '치인(治人)'보다는 '수기(修己)'가 중요하다는 것을 계속 강조했어.
수기
치인
성학집요

이것은 《성학집요》의 글 구성 순서에도 잘 드러나 있어. 2편 '수기'가 '치인'에 해당하는 3편 '정가'와 4편 '위정'보다 앞쪽에 위치해 있거든.
성학집요 2편 수기
성학집요 3편 정가
성학집요 4편 위정

분량도 '수기'가 가장 많아서 '정가'와 '위정'을 합친 것과 비슷해.
2편 수기
3, 4편 정가, 위정

이이는 인간이 변화하려면 학문에 대한 올바른 목표를 세우는 입지(立志) 단계부터
목표
학문
입지

안일함과 게으름을 벗어나는 생활 습관을 가지고
근면 성실

꾸준히 공부해야 한다고 생각했어.
학문

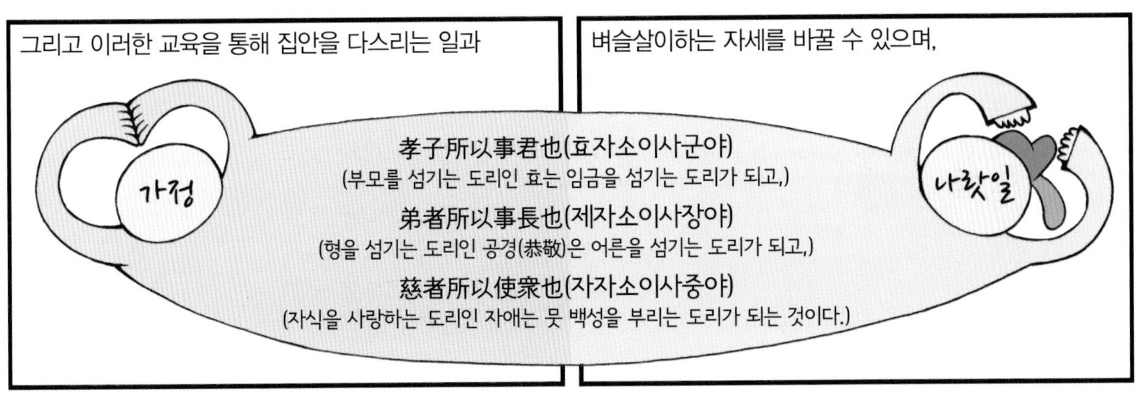
그리고 이러한 교육을 통해 집안을 다스리는 일과
벼슬살이하는 자세를 바꿀 수 있으며,
가정
孝子所以事君也(효자소이사군야)
(부모를 섬기는 도리인 효는 임금을 섬기는 도리가 되고,)
弟者所以事長也(제자소이사장야)
(형을 섬기는 도리인 공경(恭敬)은 어른을 섬기는 도리가 되고,)
慈者所以使衆也(자자소이사중야)
(자식을 사랑하는 도리인 자애는 뭇 백성을 부리는 도리가 되는 것이다.)
나랏일

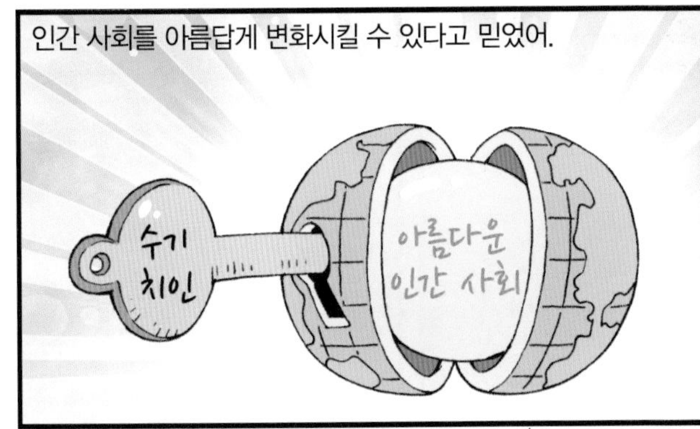
인간 사회를 아름답게 변화시킬 수 있다고 믿었어.
수기 치인
아름다운 인간 사회

이렇듯 '수기치인'은 인간 개인의 자기완성에서 사회 개혁까지 모든 분야에 적용되는 '진리'라고 할 수 있어.
수기 치인
자기 완성
개혁

지금까지 큰 틀에서 《성학집요》를 살펴보았어.
성학 집요

이제는 한 줄 한 줄 천천히 읽어 보면서 이이 선생님이 말한 쉬운 사례부터 함께 공부할 거야.

그러기 위해 다음 장에서는 책을 만든 이이 선생님의 삶에 대해 알아보자.
이이 선생님, 준비하세요.

2장

이이(李珥)의 삶

대철학자이자 정치가인 이이(李珥)가 살았던 삶의 흔적을 더듬어 보면

16세기 조선의 실상과 이이가 《성학집요》를 집필한 까닭을 이해하는 데 많은 도움이 될 거야.
16세기 조선 . 성학집요 집필 이유

위대한 인물의 개인사(個人史)는 곧 그 나라의 역사이기 때문이지.
한국사

자, 지금부터 이이의 삶을 자세히 알아볼까?
이이는 1536년 12월(중종 13년)에 강원도 강릉 *북평촌에서 태어났어.
설악산
주문진
강원도 강릉
조선 해
오대산
오죽헌
경포대
정동진
죽헌동
대관령
칠성산

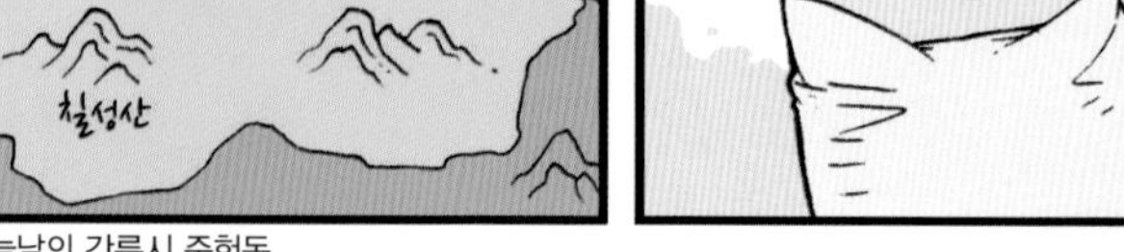

아버지 이원수(李元秀)와 어머니 신씨(申氏) 사이에서 7남매 중 셋째로 태어났지.

* 강원도 강릉 북평촌: 오늘날의 강릉시 죽헌동.

어머니는 그 유명한 신사임당(師任堂)이야. 우리나라 지폐 중 가장 액수가 큰 5만 원짜리에 나오는 바로 그분!

50000

이이가 태어나서 여섯 살 때까지 산 곳은 어머니의 친정, 즉 외가였어. 나중에 아버지의 본가가 있는 경기도 파주 율곡리로 이사해서 살았지.

경기도
파주
율곡리
포장
이사
부웅
한양
강원도
강릉
북평촌

친가였던 파주와 외가였던 강릉에 가 보면 지역 곳곳에 사당과 서원, 박물관 등이 있고,

율곡 이이
유적지
기념관
율곡 이이
박물관
율곡 이이 유적지
경기도
파주
서울
강원도
강릉

이이와 신사임당을 기리는 축제가 열리는 것을 볼 수 있어.

주최
파주시
율곡
문화제
신사임당 얼 선양
문예경연대회
주최
강원도

우리는 흔히 이이를 율곡이라고 부르는데, 율곡은 이이의 아호야.

내 아호는
여기서
따 왔다오.
경기도
파주
율곡리

아호(雅號)란 학자나 문학가 등의 호를 높여서 부르는 말이지.

아호!
문인·예술가
낮춤
높임
호

옛 사람들이 이름 대신 호를 즐겨 사용한 이유는 부모가 지어 준 이름은 소중하기 때문에 함부로 불려져선 안 된다고 생각했기 때문이야.

김 아무개~.
이름 부르지 마.
소중한 이름 닳아.

중국에서는 은나라 시대부터 호를 사용했다고 전해지는데,

호
은나라

우리나라는 삼국시대부터 사용했다고 해.

고구려
꾹
신라
백제
호

특히 조선시대에 이르러서 사대부들이 즐겨 사용했지.

화담
(서경덕)
퇴계
(이황)
서애
(유성룡)
매월당
(김시습)
남명
(조식)

이이는 어머니 사임당의 영향을 많이 받으며 자랐어.
영 향

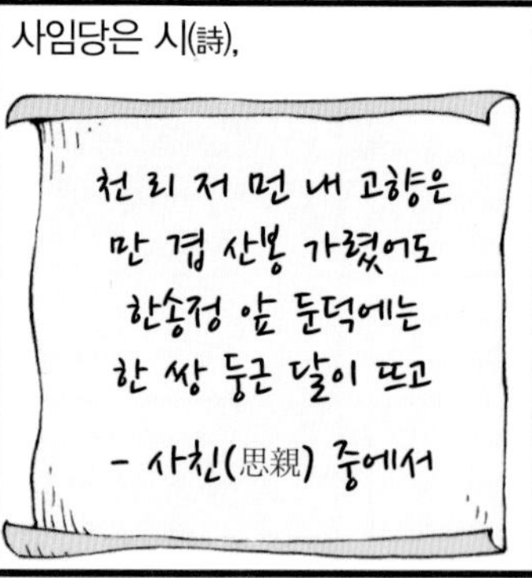
사임당은 시(詩),
천 리 저 먼 내 고향은
만 겹 산봉 가렸어도
한송정 앞 둔덕에는
한 쌍 둥근 달이 뜨고
- 사친(思親) 중에서

서(書),

화(畵)에 탁월한 재능을 가지고 있던 분이었지.

이런 어머니로부터 교육을 받은 덕분에 이이도 자연스럽게 시, 서, 화에 뛰어난 재능을 보였단다.
시
서
화

아버지인 이원수도 만만치 않은 분이었어. 사헌부 감찰과
딱 걸렸어!
헉! 이런…!
검찰
비
리

좌찬성 벼슬을 지냈으며
최고의 행정기관 의정부 종1품
바쁘다, 바빠.
정치 업무
외교
국토 계획

대대로 크고 작은 벼슬을 하던 명문 집안의 후손이었거든.
슬
벼
벼슬
명문 집안

이이는 말보다 글자를 먼저 깨우쳤다고 해. 그래서 세 살이 되었을 때부터 어려운 책도 곧잘 읽었지.
너무 쉬운걸.
어려운 책

네 살 때는 《사략(史略)》의 첫 권을 배웠는데 잘못된 문장 부호를 찾아낼 정도였다 하니
조선 명탐정
이이
중국 역사서 사략

하늘이 내린 천재라고 할 수 있어.
천 재

이이는 초등학교에 들어갈 나이에

입학을 축하합니다.
△△초등학교

이미 시와 문장을 지었다고 해.

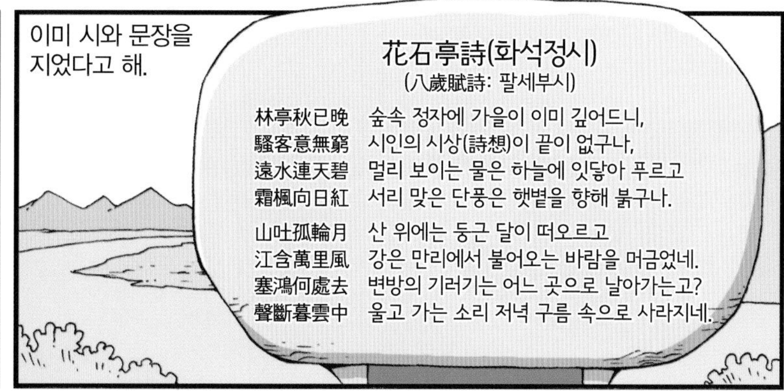

花石亭詩(화석정시)
(八歲賦詩: 팔세부시)
林亭秋已晩 숲속 정자에 가을이 이미 깊어드니,
騷客意無窮 시인의 시상(詩想)이 끝이 없구나.
遠水連天碧 멀리 보이는 물은 하늘에 잇닿아 푸르고
霜楓向日紅 서리 맞은 단풍은 햇볕을 향해 붉구나.
山吐孤輪月 산 위에는 둥근 달이 떠오르고
江含萬里風 강은 만리에서 불어오는 바람을 머금었네.
塞鴻何處去 변방의 기러기는 어느 곳으로 날아가는고?
聲斷暮雲中 울고 가는 소리 저녁 구름 속으로 사라지네.

이를 보고 문중 어른들은 이이가 장차 집안을 일으킬 인재임을 직감했대.

영차
가 문

문중의 기대에 어긋나지 않고 이이는 열세 살(명종 3년)이라는 어린 나이에 진사시에 합격했어.

진사시
(문학적 재능 시험)
장원 합격

이것은 초등학교 6학년 어린아이가 고위 공무원 시험에 합격한 것과 비슷한 거야.

세상에 이런 일이
초등학교 6학년 행정고시 합격!

1558년(명종 13년), 그의 나이 스물세 살이 되던 해에 별시에 장원급제를 했어.

별 시
장원급제

그 후에도 꾸준히 공부하여 스물아홉 살에는 국가의 큰 시험인 명경과에서 장원급제를 했지.

명경과
장원급제

이이는 과거 시험에서 모두 아홉 차례나 장원급제를 했어.
이때 얻은 별명이 바로 구도장원공(九度壯元公)이야.
아홉 번 장원급제한 사람이라는 뜻이지.

시험 종류		시험 회수	시행 년수	율곡 나이
구분	세분			
소과	생원과	초시	3년마다 한 번	29세 장원
		복시		29세 장원
	진시과	초시		13세 장원, 29세 장원
		복시		21세 장원, 29세 합격
대과		초시	3년마다 한 번	29세 장원
		복시		29세 장원
		전시		29세 장원
특별시	별시	초시	국가에 경사가 있을 때	23세 장원
		복시		

당시에는 장원급제를 하면 왕으로부터 홍패(紅牌)를 받고,
홍패 (합격증서)

모화(帽花)를 머리에 꽂은 채 거리 행진을 했어.
덩가~♪
덩가~♪
장원급제

거리 행진은 고향으로 가는 길 내내 했는데, 길면 5일이 걸리기도 했어.
고향
5일
4일
3일
2일
1일

원래 장원급제한 이는 친척 어른을 찾아뵙고 인사를 드렸지.
부모님, 문중 어르신들.
절 받으십시오.

이이는 이런 번잡한 일을 무려 아홉 번이나 한 거야.
아홉 번이나 잔치하느라 집안 거덜나지 않았수?

이이가 이런 행진을 하도 여러 차례 하니까 동네 아이들이 그를 둘러싸고 이렇게 외쳤다는 거야.
아, 지난번에 봤던 그분이네. 이분이 바로 아홉 번이나 장원급제한 구도장원공이시구나!
구도장원공!
구도장원공!

평생에 걸쳐 한 번도 하기 힘든 장원급제를 한 번이 아니라, 아홉 번씩이나 하다니.
헥! 헥!
기진맥진이다….
ㄲ뜬
장원급제
1 2 3 4 5 6 7 8 9

오늘날로 따지면 외무고시, 사법고시, 행정고시 등 국가기관에서 치르는 시험에서 아홉 번이나 수석을 한 거야.
수석
외무고시
행정고시
사법고시
등등

이이는 머리만 뛰어난 사람이
아니었어.

감성도 매우 풍부했지.
별님은 뭘
먹고 살까?

이이는 따뜻한 감성으로 이웃 사람들과
스스럼없이 정을 나누며 살았어.
정
툭
마이
봐~

뿐만 아니라 부모님에 대한 효심도 매우 지극하여
주위로부터 칭송을 들었지.
칭
송

그의 따뜻한 마음과 효심에 관련된 이야기가 많이
전해 오고 있는데 몇 가지 소개하면 다음과 같아.
이이의 마음씨와 효성

이이가 다섯 살이 되던 해였어.
마을에 큰 비가 와서 냇물에 홍수가
일어났지.

그때 어떤 사람이 냇물을 건너다
물에 빠져 목숨이 위태롭게
되었단다.

이를 바라보던 사람들은 물에 빠진
사람이 허둥대며 허우적거리는
모습을 보고 웃었지.
하 하 하 하!
사람
살려~!

하지만 이이는 기둥을 부둥켜안고
발을 동동거리며 애를 태웠어.
사람
살려~!
어떡해,
어떡해!
동
동

다행히 물에 빠진 사람이 무사히
냇물을 건너자

이이는 그제야 안심했지.
털 푸 덕
다행이다.
후

어느 날 어머니 사임당이 몹시 아파서 온 집안이 걱정을 하고 있었어.

이때 이이는 집안 사람들 몰래 외할아버지 사당 앞으로 가서
사당

어머니의 병환을 낫게 해달라고 밤새 기도했어.
할아버지, 어머니의 병환이 하루 빨리 낫게 해 주세요.
사당

이이가 열한 살이 되던 해에 아버지 이원수가 병으로 위독했어.
위독

이때 이이는 자신의 팔을 찔러 피를 내서
응급 처치

아버지에게 약으로 드리기도 했어. 옛 글에서 이런 대목을 읽은 적이 있었기 때문이었지.
사람의 목숨이 위태로워졌을 때는 피를 마시면 소생한다.

이이가 열여섯 살 되던 해에 어머니가 세상을 떠났어.
딸랑! 딸랑!
이제 가면 언제 오나 어야디야
북망산천이 머다더니
내 집 앞이 북망일세
어야 디야
오실 날이나 일러 주오
어야 디야

그는 어머니의 무덤 옆에 묘막을 짓고 3년 동안을 아침 저녁으로 밥을 지어 올리고 묘소를 돌보았어.
아이고~, 아이고~.
1년
2년
3년

그리고 스물여섯 살이 되던 해에 아버지가 세상을 떠나자, 어머니 묘에 아버지를 합장한 후에
父 母

형제와 함께 3년 동안 *여묘(廬墓)살이를 했단다.
아이고~, 아이고~.
이원수 신사임당
1년
2년
3년

* 여묘살이: 상제가 무덤 근처에서 여막을 짓고 살면서 무덤을 지키는 일.

사춘기 때 어머니를 잃은 이이는 정신적으로 많은 방황을 했어.
방황

이이에게 사임당은 훌륭한 어머니이자 큰 스승이었거든.

돌아가신 어머니를 그리워하며 3년 상을 치르는 동안 이이는 무슨 생각을 했을까?

그는 삶과 죽음이 모두 허망하고 슬픔도 기쁨도 다 의미 없다고 느꼈을 거야.
삶
죽음
슬픔
기쁨

이후 이이는 해결하기 어려운 문제들을 고민하며 철학적 사색에 깊이 빠져들었어.
사색

유학 서적은 물론 불교 서적까지 닥치는 대로 읽었지.
불교
유학

그냥 읽은 게 아니라 집요하게 파고들었어.
불
교
유학
교
유

이이는 선(禪)의 총본산으로 알려진 봉은사(奉恩寺)에서 불교 서적을 읽다가
봉은사
부처님 가라사대.

머리를 쾅하고 얻어맞는 느낌을 받았다고 해.
쾅!
돈오법
참선을 통해 진리를 한순간에 깨닫게 된다.

그 순간 이이는 불교야말로 삶과 죽음에 대한 고민에서 벗어날 수 있는 유일한 방법이라고 생각했지.
삶과 죽음

열아홉 살이 되던 해 봄, 이이는 아버지에게 허락도 구하지 않고
금강산으로 향했어.
금강산

승려가 되기 위해 금강산으로 향했지.
가출

이이는 어릴 때부터 공부해 온 유학과는
전혀 다른 불교(佛敎)를 공부하며 약 1년 동안
불자(佛子)로서의 삶을 살았어.

세속과의 인연을 끊어 버리고
세속

산속에 들어간 이이는

한때 '생불(生佛, "살아 있는 부처"라는 뜻으로 덕행이 높은 승려)이
되었다'는 소문이 나기도 했지.
금강산에 생불이
탄생하셨다.
덕행

이 일로 이이는 평생 유학자들로부터 비난을 받기도
했어. 유생(儒生)이 불문(佛門)에 들어가는 일을 몹시
치욕스러운 일로 여기던 시대였거든.
유
학
자
비
난

특히 조선은 숭유억불(崇儒抑佛, 유학을
숭상하고 불교를 억제한다) 정책을
기본으로 삼았던 유교 국가였으니
유학
조선
숭유억불
(유학을 숭상하고
불교를 억제한다)

이이는 국가의 중요 정책을 어긴
셈이 되는 거야.
숭유억불정책
입산금지

이를 알면서도 금강산으로 들어갔으니
그의 마음이 얼마나 비장했는지 알 수
있겠지?
비장함

이이는 금강산에서 약 1년 동안 노승들과 지내며
열심히 불교를 익히다가

다시 속세로 돌아올 결심을 했어.
속세

산 속에서 홀로 수도 생활을 하던 중에 불교의 신앙만으로는 인생의 문제를 모두
이해하거나 해결할 수 없다는 사실을 깨달았기 때문이야.
불교의 가르침은 결국
허황된 가르침에
불과하단 말인가?
불교의 참선법은
사람을 기만하는
술책인 게야.
마하연

이 일로 이이는 오히려 유학에
더 큰 기대를 가지게 되었고,
그래, 다시
시작해 보는 거야.
유학

더욱 열심히 공부하기
시작했지.
정상
열공!
유학

이이가 조선 최고의 유학자로 우뚝
설 수 있었던 것도 이때의 경험이
큰 역할을 했을 거야.
조선
최고의
유학자

유학자로서 최고봉에 오를 수 있었던 것은 어쩌면
유학이라는 한 우물을 팠기 때문이 아니라,
유학

불교의 심오한 진리까지 아우를 수
있었던 청소년기의 방황이 있었기
때문인 것 같아.
방황
불교 체험
조선
최고의
유학자

스무 살 때 금강산에서 내려온 이이는
으 차!
금 강 산
속세

강릉 외가로 가서 쇠약해진 몸을 추스렸어.
보 약

동시에 새로운 각오로 유학 공부를 다시 시작했지.
질 끈
열공

이때 쓴 글이 바로 그 유명한 자경문(自警文)이야.
自警文

자경문은 '스스로를 경계하는 글'이라는 뜻으로 이이가 자기 수양과 학문 정진을 위해 만든 열한 가지 행동 지침이야.
1
2
3
4
5
6
7
8
9
10
11

간단히 소개하면 다음과 같아.

하나, 뜻을 크게 세워 성인의 경지에 도달할 때까지 끊임없이 노력해야 한다.
입 지 (立志)
목표

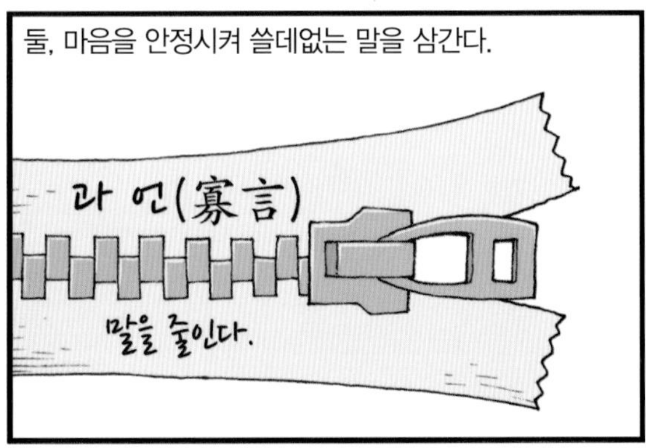
둘, 마음을 안정시켜 쓸데없는 말을 삼간다.
과 언(寡言)
말을 줄인다.

셋, 마음을 다잡는다.
정 심 (定心)
잡념
집착

넷, 혼자 있을 때 더욱 조심한다.
근 독(謹獨)
근면
나태함

다섯, 실천이 없는 학문은 하지 않는다.
실천 없는 학문
쓰레기통

여섯, 부귀영화에 욕심을 두지 말아야 한다.
부귀영화

일곱, 필요한 일에 성의를 다한다.
성의
해야 할 일

여덟, 천하를 위해 죄 없는 자를 한 사람이라도 희생시켜선 안 된다.

아홉, 아무리 난폭한 사람이라도 감화시켜 좋은 곳으로 이끌어야 한다.
감화
흉악범

열, 수면과 게으름으로 시간을 낭비하지 말아야 한다.
째깍!
째깍!
시간은
금이다
FINE GOLD
999.9%

열하나, 공부와 수양을 할 때 초조해하거나 풀어지지 않도록 끈기를 발휘한다.
평생
교육

이 모든 내용은 우리에게도 귀감이 되니까 책상 앞에 붙여 놓고 매일 읽으면 좋겠지?
자경문

이이는 어머니가 돌아가신 후 약 4년 동안 겪은 방황으로 더욱 성숙된 정신세계를 갖게 되었어.

성숙

덕분에 이이는 수많은 상념과 잡념을 버릴 줄 알았고,

상념
잡념

마음을 다잡아 학문하는 방법을 깨달을 수 있었던 거야.

깊은 시련을 극복한 경험은 그 어떤 지식보다 더 큰 교훈을 주는 법이거든.

시
교훈
련

오랜 방황을 마치고 거울 앞에 선 이이는

진짜 내가 아냐.

'정심(定心, 마음을 정하다)'으로 한 가지 일에 집중할 수 있었어.

팍!
집중
학문

그래서 다음 해 응시한 과거 시험에서 곧바로 급제를 하며 벼슬길에 들어설 수 있었지.

나랏일
장원 급제
첫 출근.

이이에게 어머니 사임당 다음으로 큰 영향을 준 이는 퇴계 이황이었어.

퇴계 이황

이황은 이이가 벼슬에 들기 전부터 이미 세상이 다 아는 대학자였지.

사인 좀.

이황은 자신보다 서른다섯 살이나 아래인 이이를 몹시 아꼈다고 해.

그는 이이를 처음 본 후, 그의 깨끗한 성품을 칭찬하며 '후생가외(後生可畏)'라고 말했거든.

'후생가외', 후배들이 젊고 기력이 좋아 학문을 닦음에 있어서 두려워할 만하다.

이이가 이황을 처음 만난 건 이이의 나이 스물세 살이 되던 1558년 봄이었어.
Meeting
연세가 …?
쉰여덟.

당시 이이는 처가가 있는 경상도 성주에서 외가가 있는 강릉으로 가던 중이었는데, 도중에 이황의 높은 명성을 듣고 그를 일부러 찾아갔어.
잠시 들러 인사나 하고 가야겠다.
강원도
외가
강릉
처가
성주
경상북도
퇴계 이황
예안

평소 친분이 있었던 사이도 아니었는데 낯선 이를 스승으로 여겨 찾아간 셈이야.
이리 오너라~!
네가 오너라~!

이황을 찾아간 이이는 그곳에서 이틀을 묵으면서 이황이 어떤 사람인가를 눈여겨보았지.
뚫어져라
쳐다보는
부담스러운

이때 이이가 남긴 글이 〈쇄언(瑣言)〉이야.

살림살이라고는
천여 권의 경전뿐이고
살아가는 모습은
두어 칸의 집이 다라네.

… 중략 …

뵙고 싶은 회포를 푸니
가슴은 구름 속의 달 보듯 환하고
웃음 띤 말씀은
거친 물결을 멈추게 하네.

당시 이황은 관직에 있다가 병을
이유로 벼슬에서 물러나
조정
벼슬
반납

고향에 머물면서 제자 양성에 열을
쏟고 있을 때였어.
도산서당
제자양성

이황은 이이가 찾아온 것을 무척이나
기뻐했고,

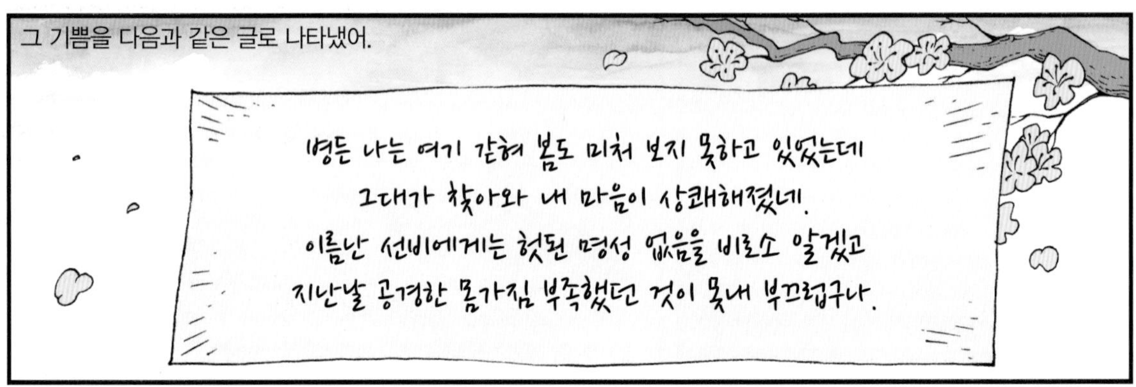

그 기쁨을 다음과 같은 글로 나타냈어.
병든 나는 여기 갇혀 봄도 미처 보지 못하고 있었는데
그대가 찾아와 내 마음이 상쾌해졌네.
이름난 선비에게는 헛된 명성 없음을 비로소 알겠고
지난날 공경한 몸가짐 부족했던 것이 못내 부끄럽구나.

이이는 이황을 만난 후 어려운 고민이
있을 때마다 편지로 묻고
To. 이황 선생님께
질문
From. 이이

편지로 답을 얻었지.
To. 이이 님께
답변
From. 이황

이이가 이황을 만난 지 12년이 되던 해인
1570년 12월에 이황은 세상을 떠났어.

이황의 부음을 들은 이이는
털썩
퇴계 이황
선생님께서
타계하셨습니다.
이런…, 조선의
큰 별 하나를
잃었도다! 흑흑!

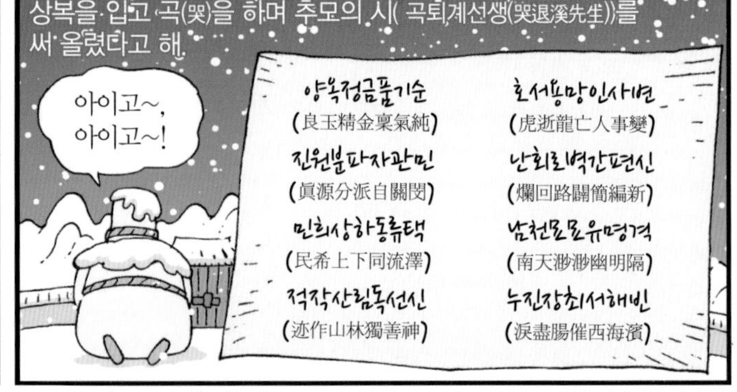

상복을 입고 곡(哭)을 하며 추모의 시(곡퇴계선생(哭退溪先生))를
써 올렸다고 해.
아이고~,
아이고~!
양옥정금품기순
(良玉精金稟氣純)
진원분파자관민
(眞源分派自關閔)
민희상하동류택
(民希上下同流澤)
적작산림독선신
(迹作山林獨善神)
호서용망인사변
(虎逝龍亡人事變)
난회로벽간편신
(爛回路闢簡編新)
남천묘묘유명격
(南天渺渺幽明隔)
누진장최서해빈
(淚盡腸催西海濱)

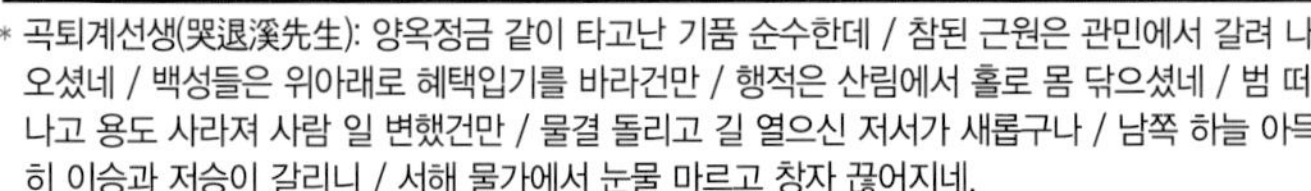
* 곡퇴계선생(哭退溪先生): 양옥정금 같이 타고난 기품 순수한데 / 참된 근원은 관민에서 갈려 나오셨네 / 백성들은 위아래로 혜택입기를 바라건만 / 행적은 산림에서 홀로 몸 닦으셨네 / 범 떠나고 용도 사라져 사람 일 변했건만 / 물결 돌리고 길 열으신 저서가 새롭구나 / 남쪽 하늘 아득히 이승과 저승이 갈리니 / 서해 물가에서 눈물 마르고 창자 끊어지네.

이황이 제자 양성에 주력하며 초야에 묻혀 있기를 좋아했다면,
삐약
삐약
제자양성

이이는 성리학적 신념을 현실 정치에 반영하여 백성의 행복을 적극 꿈꾸던 사람이었어.
성리학적 신념
현실정치
백성의 행복

그래서 나랏일에 적극 관심을 보이며 참여하기를 주저하지 않았고,
나랏일
조선

그가 맡은 벼슬 또한 다양했지.
대사간
대제학
병조판서
이조판서
등등

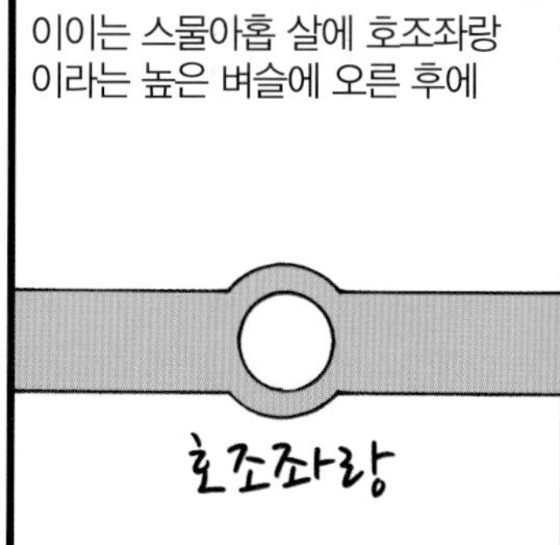
이이는 스물아홉 살에 호조좌랑이라는 높은 벼슬에 오른 후에
호조좌랑

당시 관리의 인사 업무를 주관하던 이조좌랑을 거쳐,
이조좌랑

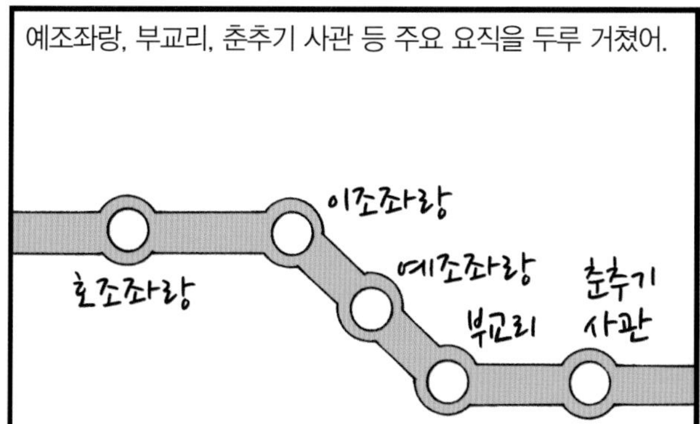
예조좌랑, 부교리, 춘추기 사관 등 주요 요직을 두루 거쳤어.
호조좌랑
이조좌랑
예조좌랑
부교리
춘추기 사관

그는 《명조실록》 편찬에도 참여하고
명조실록

개혁을 위한 상소문을 적극적으로 올리면서 성리학자로서 사회 개혁을 위해 많은 노력을 했어.
끙…
상소문
조선
개혁

또한 이이는 높은 벼슬에 있으면서도 자리에 연연하지 않았어. 오히려 목숨을 걸고 임금에게 쓴소리하기를 주저하지 않았던 충신이었어.
쓴소리!

당시 조선은 폭정(暴政)으로 유명했던 연산군(燕山君, 재위 1494~1506)에 이어
나의 생모를 폐비시키고 죽임에 관여한 자, 모두 죽이고 삼족을 멸하리라.

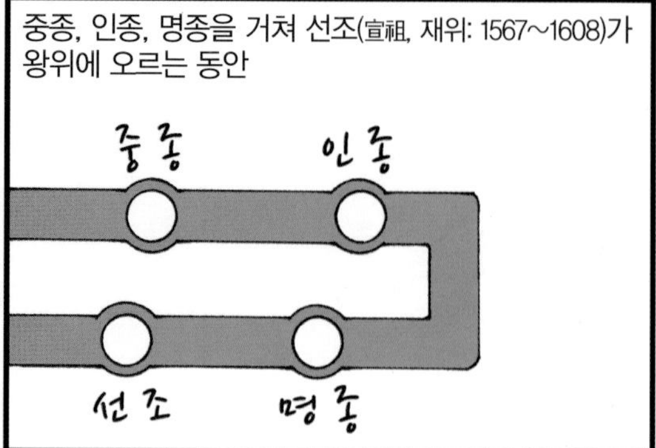
중종, 인종, 명종을 거쳐 선조(宣祖, 재위: 1567~1608)가 왕위에 오르는 동안
중종
인종
선조
명종

벼슬아치들의 당파 싸움으로 민생이 점점 어려워지던 시기였어.
권력
투쟁

서른세 살의 젊은 이이는 시대의 문제를 꿰뚫어 보고 사회의 변화를 추진해야 한다고 생각했어.
당신은 변화가 절실히 필요하오.
관상
조선

주요 관직에 있는 자신이라면 충분히 개혁을 추진할 수 있다고 믿었지.
난 할 수 있어.

또한 명종의 뒤를 이어 새로 왕이 된 열여섯 살 선조에 대한 믿음이 컸어.
믿음

인물 됨됨이가 훌륭한 선조를 잘만 다듬으면

사회 개혁을 추진할 성군(聖君)이 될 수 있다고 생각했거든.
성군

이이는 늘 선조에게 그가 왕으로서 갖추어야 할 덕성을 일러 주었고,
덕
덕

여러 가지 사회 개혁 방안을 간곡히 호소하기 시작했어.
사회 개혁 방안

특히 힘없는 백성들을 괴롭혔던 세금 제도의 폐단과 신분 제도의 모순을 없애기 위해 부단히 노력했어.
세금 제도
조선의 낡은 제도
신분 제도

이를 위해 세 번에 걸쳐 상소문을 올렸는데
상소문

이것이 바로 〈만언봉사(萬言封事)〉야.
만언봉사

이이가 쓴 글을 보면 언론의 자유가 보장된 요즘 시대에도 읽기가 거북할 정도로 왕을 심하게 비판하고 있어.
비판
비판
비판

잠시 〈만언봉사〉에 있는 글을 살펴볼까?

오늘날의 인심과 세도가 이 지경이 된 것을 보면
전하의 정치와 교화가 훌륭하지 못해서
그런 것이 아니겠습니까?

전하께서 분발하여 성인(聖人)이 되시려는 뜻이
없으셨기 때문에 여러 신하들이 모두
그렇게 여기고 있습니다.

전하께서는 자질이 영명하신데도
정치를 잘하시고자 하는 큰 뜻을 이루는 데
분발을 하지 않으니 신(臣)은 그 이유를
알지 못하겠습니다.

이이는 벼슬에 나간 이후 줄곧 나라와 백성을 위한 상소를 올리고 개혁 정책을 내놓았어.
와 르 르
또? 저번 것도 다 못 읽었는데.
상소문
개혁
개혁

때문에 주위의 견제를 많이 받았고,
견 제 구

가끔 목숨이 위태롭기도 했지.
세이프!
아깝다.

그러나 이이는 임금을 올바른 길로 인도하고,
이 이
폭군
성군

나라와 백성을 위하는 길이라면 자신의 목숨쯤은 대수롭지 않다고 여기며 제 할 일을 했어.
도 루
추 진
개혁

선조도 그 뜻을 알았던 걸까? 이이는 단 한 번도 귀양살이를 한 적이 없었어.
나 이이 아녀.
귀양

선조는 개혁을 추진할 용기 있는 위인은 못 되었지만
ON
추진
OFF
개 혁

인재를 알아보는 탁월한 안목은 가지고 있었던 것 같아.
안
목

선조는 이이의 비수 같이 날카로운 상소문을 유심히 읽으며
끝까지 읽자.
비
수

때로는 반성하는 눈빛을 보이기도 했어.
글 썽…

그러나 불행히도 이이가 제시한 개혁을 앞장서서 실천하지는 못했지.
꿈쩍도 않는다.
개
혁

이이의 충심과 높은 학식은 존중하면서도 그가 주장하는 개혁 정책은 부담스러웠던 거야.
이이의 개혁 정책
부
담

이이는 세상을 떠나기 전까지 선조에게 끊임없이 개혁 정책 추진을 간언했어.

개혁 정책 추진하라!
콜록!
콜록!
일찍 가서 쉬시오.

하지만 신하가 아무리 좋은 정책을 내놓아도 임금이 실천하지 않으면 아무 소용이 없는 법이지.

실천
개
혁

이이의 충언에도 선조는 개혁 의지를 보이지 않았어.

실천
개혁

이이는 그런 임금의 모습에 크게 실망하여 여러 번 병을 핑계로 사직서를 제출하고 고향으로 돌아갔어.

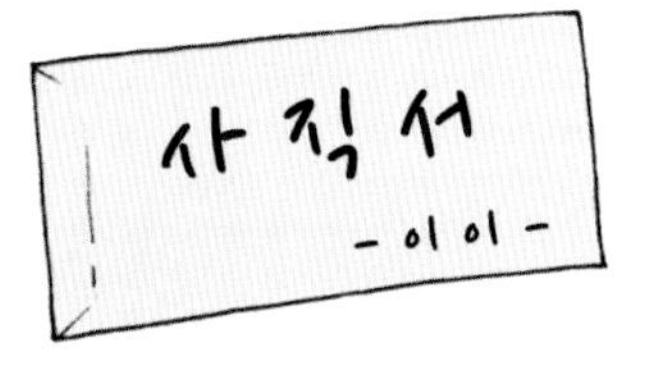
사 직 서
- 이 이 -

그럴 때마다 선조는 이이에게 다시 관직으로 돌아와 줄 것을 간곡하게 부탁했어.

You Must come Back, Please~
S

그러면서 더 높은 자리를 주었지.

높은 자리

다시 관직에 돌아온 이이는 임금을 비판하고 개혁 추진을 요구하는 상소를 올렸지만 선조는 쉽게 바뀌지 않았지.

개혁 추진
비 판
탁! 탁!
툭
?
상 소 문

또다시 그런 임금의 모습에 실망한 이이는 벼슬을 버리고 낙향하기를 반복했어.

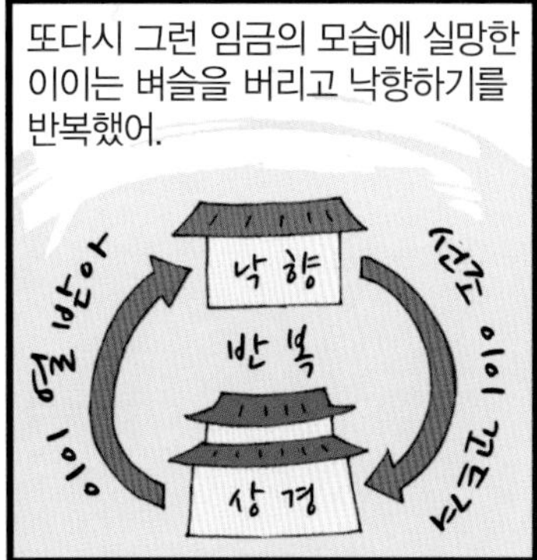
낙 향
반 복
상 경

그러다가 결국 선조는 큰 실수를 하고 말았어.

오 마이 갓!
Self
경 유
휘발유
조선

이이가 명나라와 일본의 정세를 보면서

돌아가는 정세
명나라
일 본

외적이 강해지고 있으니 군사를 더욱 양성하자고 여러 차례 말했지만 듣지 않은 거야.

유비 무환

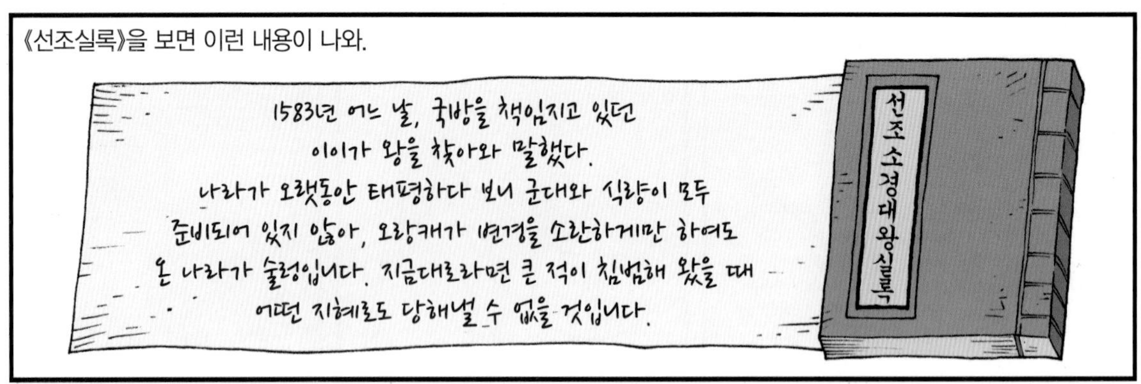
《선조실록》을 보면 이런 내용이 나와.
1583년 어느 날, 국방을 책임지고 있던
이이가 왕을 찾아와 말했다.
나라가 오랫동안 태평하다 보니 군대와 식량이 모두
준비되어 있지 않아, 오랑캐가 변경을 소란하게만 하여도
온 나라가 술렁입니다. 지금대로라면 큰 적이 침범해 왔을 때
어떤 지혜로도 당해낼 수 없을 것입니다.
선조소경대왕실록

이때 이이는 병조판서로 있었지. 때문에 임금이 허락한다면 군사력을 키우는 일을 직접 지휘할 수 있었어.
군사력

이에 선조는 잠시 진지하게 이이의 주장을 검토했지만
검
토

당시 일본을 정찰하고 온 다른 신하의 말을 듣고는 이이의 생각을 실천에 옮기지 않았지.
일본은 감히 조선을 치지 못할 것이옵니다.
김성일

하지만 1592년에 조총을 비롯한 신무기로 무장한 일본의 20만 대군이 조선을 침략해 왔어. 이것이 바로 임진왜란이야.

조선

임진왜란 1592

조선에 쳐들어가자!

일본

임진왜란을 겪은 후에

조선의 유학은 성리학에서 실학으로 발전하기 시작했어.
실 학
성리학

이이의 성리학이 도덕적 심성과 함께 현실에서의 실천을 중요하게 여겼기 때문에
공중도덕
우리 모두
실천합시다.
- 이 이 -
성리학

조선 후기에 등장한 실학은 어느 정도 이이의 영향을 받았다고 할 수 있어.
공중도덕
우리 모두
실천합시다.
- 조선 후기 -
실 학

이이가 생전에 애타게 부르짖었던 개혁도
개혁!
개혁!

조선 후기부터 서서히 결실을 맺기 시작했지.
조선 후기
개혁
개혁

조세 개혁은 *대동법(大同法)으로,
조선 후기
조세 개혁
대동법

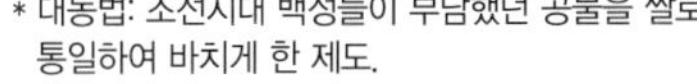

* 대동법: 조선시대 백성들이 부담했던 공물을 쌀로 통일하여 바치게 한 제도.

군정 개혁은 *균역법(均役法)으로 말이야.
군정
개혁
균역법

* 균역법: 조선 영조 때 군역 부담을 경감하기 위하여 만든 세법.

또한 이이가 주장한 신분제도의 개방은 조선 후기 서얼의 등용 등으로 조금씩 발전했어.
첩의 자식인 우리도 이제 나라에서 치르는 시험에 응시할 수 있다고.
서얼허통법

이이가 선조에게 기대했던 성학(聖學)을 갖춘 군왕(君王)으로서의 모습은 조선 후기 영 · 정조에게서 볼 수 있어.
개 혁
영조
정조
실천
실천

그래서 일부 학자들은 조선 후기야말로 이이가 뿌린 씨앗을 거두는 과정이라고 말하기도 하지.
조선 후기
개혁

그럼 이제 군왕의 교과서, 《성학집요》의 첫 페이지를 열어 볼까?

3장

수기(修己) 편 - 입지(立志)

이제부터 이 책을 읽는 여러분을
임금님이라고 생각하며
내용을 설명하려고 해.
성학집요

그러니 임금님처럼 단정히 앉아서
내 이야기를 들어 주시옵서!

어떻게 사는 것이 올바른 것일까?
공부는 왜 하는 것일까? 모두들
이런 고민을 해 본 적이 있을 거야.

만약 스스로 이런 고민을 하지 않은
채 단순히 부모님이 시키니까,
공부해!
나 엄마

또 학교에서 하라고 하니까 해,
라고 한다면
미 투!
학교

정신적 위기에 부딪히거나 감정적으로
슬럼프에 빠졌을 때 중심을 잃고
나쁜 길로 빠질 수가 있어.
삐뚤어질 테다.
해!
해!
해!

그러니 스스로 어떻게 살 것인가?
어떻게 살아야 잘 사는 것인가?
등에 대해 고민하고,
고 민

답을 찾아 그 길을 걸어가는 것이 아주 중요해. 사람들은 이런 답들을 가리켜 '가치관' 또는 '꿈'이라는 말로 표현하기도 해.
어떻게 살 것인가에 대한 답을 찾아야 해.

내가 그 고민을 해결하는 데 도움을 줄게. 《성학집요》는 이이가 어린 임금에게 하고 싶었던 말을 담은 책이지만 부푼 꿈을 안고 고민하며 사는 여러분과 같은 청소년들에게도 꼭 필요한 내용이거든.

《성학집요》는 맨 먼저 서문(序文: 들어가기)으로 시작해.
성학집요
서 문
끼이익

이이는 서문에서 《성학집요》가 어떤 책인가를 설명했어.
성학집요란?

이이는 《성학집요》가 사서와 오경에 씌여 있는 도(道)를 간략하게 정리한 책이라고 했어.
사서와 오경에
씌여 있는 도(道)를
간략하게 정리한 책.

사서오경이 너무 방대해서 그 책을 모두 읽고자 한다면 길을 잃기 쉬우므로
사서오경

그중에서 핵심만을 뽑아서 하나로 묶어 만든 것이라고 했지.
사서오경
핵심
빽

이때 이이는 사서오경 중 하나인 《대학》을 기본으로 삼았어.
성학집요
대학

《대학》을 기본으로 삼은 것은 사서오경에 담겨 있는 성현들의 생각이 대부분 《대학》의 기본적인 가르침에서 크게 벗어나지 않았기 때문이야.
대학
明德
명덕.
성 현 들
사 서 오 경

그런 의미에서 《대학》을 '덕(德)으로 들어가는 입구(入德之門)'라고 했지.
대학
출입구
덕

유학을 한마디로
말하자면

인류 역사에서 위대한 업적을 남긴 위인들을
몇 명 떠올려 그들의 삶을 한번 생각해 보자.
링컨
공자

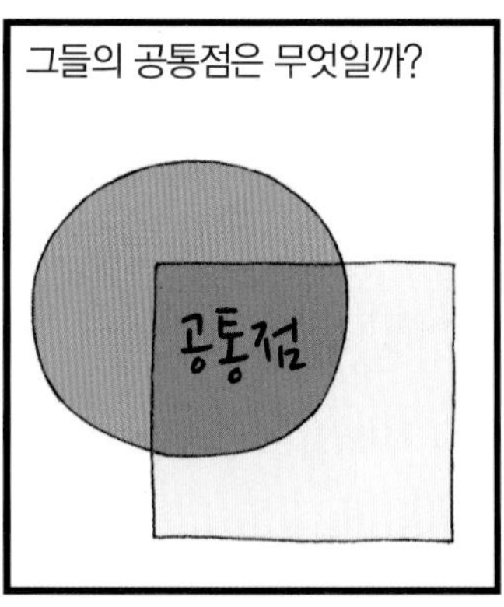
그들의 공통점은 무엇일까?
공통점

이이는 수기치인(修己治人)이라고
했어.
수기치인

수기치인은 '자신을 닦고 남을
다스린다'는 말이야.
나의 깨달음을
모든 중생들과
공유하겠노라.

동서고금을 불문하고 역사를 빛낸
훌륭한 인물들은 세상에 태어날 때
하늘이 준 맑은 마음을 갈고닦아서
인격 수양

그 마음이 시키는 대로 사람들을 사랑하고
여러 가지 선행을 실천했단다.
선행

그들의 맑은 마음과 선행이 주변 사람들에게 좋은 영향을 미쳐
이 세상을 점점 더 좋은 곳으로 변화시킨 거야.
도
도
도
도
도
밝은
세상

그러므로 수기치인(修己治人)은
동양과 서양, 고대와 현대를 모두
아우르는 삶의 지혜라고 할 수 있지.
삶의 지혜

이이는 수기치인을 하기 위해 제일
먼저 해야 할 일은 혼자 있을 때
마음가짐과 행동을 조심하는
일이라고 했어.
신호가
바뀔 때까지
기다리자.

혼자 있을 때도 남이 쳐다보고 있는
것처럼 착한 마음을 보존하고 도(道)를
실천해야 한다고 말이야.
멈춤
아무도 없지만
신호를
지키자.
도

누구나 혼자 있을 때는 마음이
흐트러지는 법이거든.

그러니 혼자 있을 때일수록 마음을
차분하고 고요하게 만들어서

독서에 전념하고
독서

옳고 깨끗한 생각을 하려고
노력해야 해.

어려운 일이지만 이것이야말로
수기치인의 시작이라고 할 수 있어.
수기치인
척
첫발

인간의 마음이 항상 차분하고
안정되어 있으면
차
분
안
정

하늘과 땅이 돌아가는 자연 이치를
깨달을 수 있어.

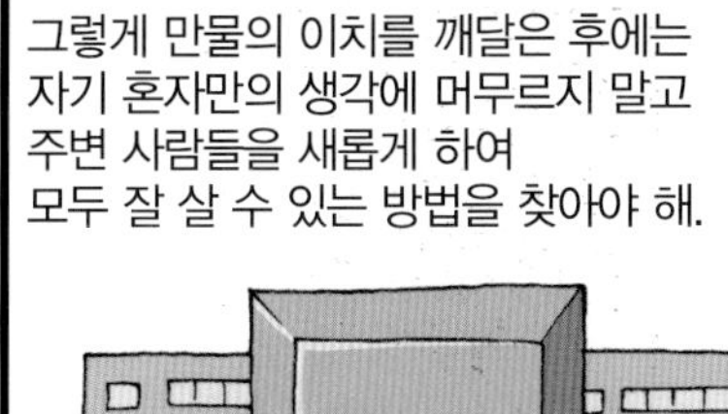
그렇게 만물의 이치를 깨달은 후에는
자기 혼자만의 생각에 머무르지 말고
주변 사람들을 새롭게 하여
모두 잘 살 수 있는 방법을 찾아야 해.
공유

수기치인을 할 줄 아는
사람들은 덕(德)을 밝히는
공부를 해서
수기치인
덕

백성들의 덕(德)을 새롭게 하도록
힘써야 해.
덕
백성
수기치인
덕

그렇게 한다면 모두가 지극한
선(善)에 이르게 될 거야.
선
善

이이는 이것을 '명덕(明德)이 온
세상을 밝힌 경지'라고 했어.
명
덕

명덕(明德)이란 사람이 태어날 때부터 가지고 있는 맑고 신비로운 이치의 마음을 의미해.
명 덕

다 알겠지만 마음은 모든 일의 근본이야.
어천만사(모든 일)
마음

우리는 가끔 '모든 일은 마음먹기에 달려 있다'라는 말을 하잖아?
난 할 수 있다…?
금 연
꿀 꺽

아이가 세상에 처음 태어날 때는 매우 밝은 마음을 갖고 태어나지. 불의를 보면 부끄러워하거나 미워하고,
늑대와 일곱 마리 아기 양
나삐야!
나삐야!

현명한 사람을 보면 공경하는 마음이 일어나.
햐~
공 경

또 좋은 일을 보면 감탄하고 흠모하는 마음을 가져. 누가 가르쳐 준 것도 아닌데 말이지.
꺄르르

이것은 아이의 밝은 마음이 일상생활에서 그대로 드러나는 것이라고 할 수 있어.
증 명덕 거

나쁜 범죄를 저지른 사람에게도 가끔은 착한 생각이 드러나는 것은 바로 명덕 때문이야.
명 덕
양심의
흉악범
가책

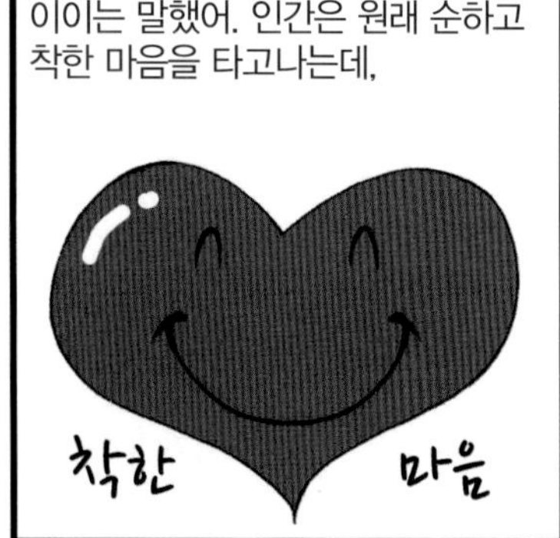
이이는 말했어. 인간은 원래 순하고 착한 마음을 타고나는데,
착한 마음

살면서 그 순수한 마음을 갈고닦지 않으면 물욕(物慾)에 더럽혀져 어두워진다고 말이야.
재물
₩

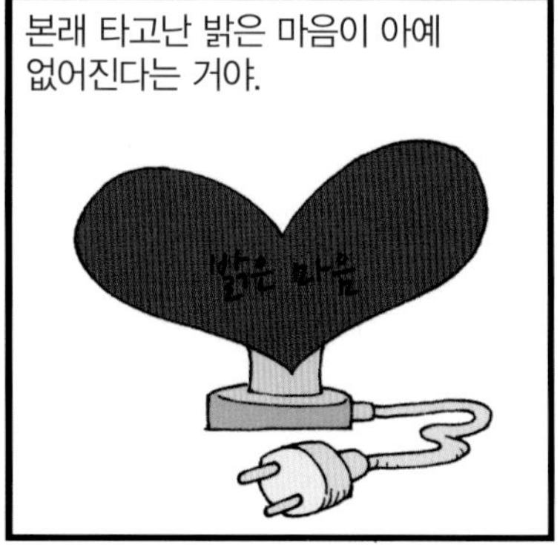
본래 타고난 밝은 마음이 아예 없어진다는 거야.
밝은 마음

덕을 밝히는 범위는 저마다 넓고 좁음의 차이가 있겠지만
덕이 향하는 목표는 항상 같아야 해.
덕
목표

고요와 평화로움이 집안에 머물면 그 집안은
자리를 잘 잡고
가정
고요
평화로움

집안에 만물이 잘 자랄 거야.
만물
가정
명덕

명덕이 한 집안을 밝힌다고 할 수 있지.
가정
명덕

집안에 만물이 자란다니,
이게 무슨 말인가 싶지?
아, 뜨거!

이이는 가족이 각각 최선을 다해 자신의
역할을 하는 것을 만물이 자란다는 말로
나타냈어.
만물이
잘 자란다.
가족 각자의 역할
가정

아버지와 아들, 부부와 형제가
각자 자신의 직분을 지키는 것은
부부 간의
도리
형제 간의
우애

자연의 이치를 바르게 성장케
하는 것이라고 말이야.
자연의 이치

부모는 사랑으로 자식을 키우고,
자식은 진심으로 효도하는 마음을
갖고, 부부 간에도 도리를 지키며
도리
효·애

형은 아우에게 우애 있게 하고,
동생은 형을 공경하는 마음으로
공손하게 하는 것을 두고
우애·공경

이이는 '만물이 잘 자란다'는 말로
표현한 거야.
만물

나라도 마찬가지야. 명덕의 가르침이 나라 안에 온전히 머물면 그 나라는 자연 그대로의 이치에 따라 순조롭게 만들어져 모든 만물이 다 번창하게 될 거야.

번 창
만 물
쑥
쑥

인간이 가지고 있는 덕을 밝힐 수 있도록 노력하면 모든 일이 다 밝아질 수 있어.
고쳤더니 집안이 환해졌다.
명 덕

자신의 명덕(明德)을 밝히고,
탁
명 덕

주변 사람들로 하여금 명덕을 밝힐 수 있도록 도와주면
탁
명 덕

가정과 사회, 국가, 아니 인류 전체가 명덕을 밝힐 수 있는 거야.
명
덕

여러분에게 세상을 변화시킬 원대한 소망이 있다면 먼저 자기 나라에서 인정을 받아야 해.
대통령 선거
투표함

자기 나라에서 인정받으려면 먼저 자기가 다니는 학교나 집안에서 잘 해야겠지?
칭 찬
학 교
가 정

그러려면 우선 자기 몸을 닦고, 마음을 바르게 해야 해.
인격 수양

또 자기 마음을 바르게 하려면 자신의 의지와 뜻을 성실히 행해야 하고,
성 실

자기 뜻을 성실히 행하려면 배움에 최선을 다해야 하지.
배움
뜻

배움에 최선을 다한다는 것은 주변 사물들의 이치를 끝까지 탐구하는 것을 의미해.
난 김여사를 끝까지 탐구하고 싶어졌어.
어머나!
안 돼요!

여러분의 바른 마음이 세상을 밝게 밝히는 근원이 된다는 것을 잊지 마.
도
명
덕

입지(立志):
자신의 뜻을 세워라

자기 자신이 세상의 중심이 되어야 한다는 사실, 이제 알았지?
세상의
중심

자신이 세상의 중심이라는 사실을 깨달았다면 자기 자신을 더욱 밝게 갈고닦아야 해.

이이는 자기를 갈고닦는 데에는 두 가지 길이 있다고 했어.

하나는 배움을 키워 가는 것이고,
배 움

또 하나는 행동으로 실천하는 것이야.
실천
실천
배 움
실천
실천

배워 알기만 하고 실천하지 않는 것은 진정한 앎이 아니라고 했어.
우웩!
실천
앎

공자는 이렇게 말했지.
군자가 글을 널리 배우고
그 배운 내용을
예(禮)로써 요약한다면
도(道)에 어긋나지 않는다.

널리 두루 배우고,
요리
백과

그 배운 지식을 행동으로 지켜 나가기 위해서는
실
천

반드시 이에 해당하는 예(禮)를 갖춰야 한다는 뜻이야.
예

자기를 수양하는 공부는
공경(恭敬)의 자세를 갖는 것과
공경

사물의 이치를 탐구하여 지식을
넓히는 것,
지식
탐구

힘써 실천하는 것 등 세 가지로 요약할
수 있어.
영차!
실
천

배움에서 가장 중요한 것은
뭐니뭐니해도 뜻을 세우는 것,
즉 입지(立志)야.
배움
탁!
탁!
입지(목표)

뜻을 세우지도 않았는데 공(功)을
이룰 수는 없잖아?
난 아직 준비가
안 됐어….
업적

그래서 이이는 책을 쓸 때
항상 맨 앞에 입지(立志)를 두고
설명했어.
기준!
입지

뜻(志)이란 인간 행위의 원동력으로서
겉으로 드러나는 *기(氣)를 이끄는
힘이 있어.
목표
기

뜻이 하나로 모이면 기(氣)는 그에
따라 움직이는 법이지.
뜻
기

평생 글을 읽으면서도 아무것도
이루지 못하는 학자가 있다면 그것은
뜻이 제대로 서 있지 않기 때문이야.
계속 같은
자리다.

* 기(氣): 성리학에서는 우주 만물의 조화를 이(理)와 기(氣)로 나누어 이해하는데, 이(理)란 눈에 보이지 않는 형이상학적 본질과 원리를 의미하고, 기(氣)란 눈에 보이는 형이하학적 현상(現想)을 의미한다고 할 수 있다.

쉽게 말해 입지(立志)는 평생의
꿈과 목표를 세우는 것과 같아.
입지
목표

평생을 통해 이루고자 하는 목표를
확실히 함으로써
그래,
결정했어.
소방관
우주 비행사
CEO

앞으로 나아갈 미래의 방향을 잡는 거지.
우주 비행사

인생에서 확고한 목표는 삶의 문을
열어 주는 열쇠 역할을 해.
목표
삶

목표가 분명히 서 있지 않은 사람은
무엇을 하다가도
열공

주변의 다른 것들에 쉽게 마음을 빼앗겨
해야 할 일에 집중하지 못하지.
열공
집중

책에서 읽은 대로 실천하다가 문득 다른
사람이 던진 말에 현혹되거나,
컴온~.
실천
옆길

의욕적으로 어떤 일을
시작했다가도
대기업
CEO
대기업
CEO나 되어
볼까?

다른 곳에 마음을 빼앗겨
'이 일은 적성에 안 맞는 것
같아'라고 한다든지
사표

'내게는 너무 어려워'라고
포기하는 건
결승점

목표가 뚜렷하지 않기 때문이야.
즉, 입지가 제대로 되지 않은 거지.
?
?
?

이이는 사람들이 뜻을
잘 세우지 못하는 데는
세 가지 원인이 있다고 했어.
1
2
3

첫째는 믿지 않아서야. 목표를 세우고
실천한다면 반드시 이룰 수
있는데 이를 믿지 못하는 거야.
목표
내가 할 수
있을까?
실천

위인들이 자신들의 삶을 통해 이러한
가르침을 몸소 보여줬음에도 믿지
못하는 거지.
정말 저렇게
될 수 있을까?
달성
위인들의
삶

너희들도 위인전을
읽기만 하고 지식으로
배우기만 할 뿐 몸소 깨닫고
실천하진 않잖아?

둘째는 모르기 때문이야.

똥인지 된장인지 몰라?

사람이 타고난 기품은 각양각색이지만 배움과 실천으로 노력한다면 반드시 성공하게 되어 있어.

꿈★은
이루어진다

맹자는 어려서 장례(葬禮) 지내는 놀이를 즐겨했지만

아이고~,
아이고~.
흉내내 보자.
아이고~,
아이고~.
공동
묘지

성인의 경지에 올랐고,

성
인

*정자(程子)는 젊어서 늘 저녁 늦게까지 사냥을 즐겼지만

사냥

결국은 훌륭한 사람이 되었지.

* 정자: 중국 송나라 성리학자인 정호(程顥), 정이(程) 두 형제를 일컫는 말.

훌륭한 자질을 가지고 태어나야만 반드시 성공하는 건 아닌 것 같아.

뿌~
자 질
성 공

사람들은 자신이 훌륭한 자질을 갖고 태어나지 못했기 때문에 아무리 노력해도 소용없다고 변명하지.

난 노력해도
소용없어.

성인(聖人)이 되거나 어리석은 사람이 되는 것 모두 자기 마음먹기에 달려 있다는 걸 모르는 거야.

성인의 길
어리석은 자의 길

셋째는 용기가 없어서야. 사람들 중에는 노력하면 자신을 변화시킬 수 있다는 것을 알면서도, 나쁜 습관에 젖어 과거의 잘못을 고치려고 하지 않고 당장의 즐거움만을 좇으려 해.

제 손을
잡으십시오.
변화시켜
드리겠습니다.
알콜 중독
재활 치료 센터
닥쳐!
샤 방
샤 방

현재 그대로를 유지하면서 단 한 걸음도 앞으로 나아가려 하지 않는다면 후퇴하는 것과 같아. 이것은 모두 용감하지 않기 때문이지.

기다리다 지쳤다.
바이!
고 백

만약 여러분이 작고 이기적인 꿈을 인생의 목표로 세웠다면
큰 목표
작은 목표

그것은 여러분이 가지고 있는 자기 자신의 능력을 낮게 바라보고 있기 때문일 거야.
난 능력이 이것밖엔 안 돼.
작은 그릇

그런 목표는 평생을 살아가는 데 필요한 이정표가 될 수 없어.
삶

거울을 쳐다 봐. 자신이 얼마나 잘 생기고 천재 같은 눈빛을 갖고 있는지를.
반짝
반짝

자꾸 주문을 외워서 자기 자신을 근사하게 바라보는 연습을 해야 해.
잘 생겼다.
멋지다.
근사한걸.
최고다.

그러면 자연스럽게 인생의 목표와 꿈도 커질 거야.
푸~
자신감
목표·꿈

자기 자신을 대단하게 여기고, 스스로 인생을 만들 원대한 꿈과 목표를 세웠다면
영차!
목표

그다음에는 일상생활 속에서 바로 실천할 수 있도록 노력해야 해.
열공

눈앞에 있는 작고 이기적인 욕망을 누르고
작고 이기적인 욕망

자기 자신을 가꿔 나간다면 얼마든지 하고자 하는 일을 이루며 살 수 있을 거야.
인생의 목표

여러분이 가슴에 어떤 뜻을 품고 실천하며 사는가에 따라 우리 인류의 미래는 달라질 거야.
암울한 미래
밝은 미래
생각

옛말에 '나의 마음이 진실로 배움에 뜻을 둔다면 하늘도 소원을 들어 주실 것이다'라는 말이 있는데 이 말을 꼭 기억하길 바라.

4장 수기(修己) 편 - 수렴(收斂) · 궁리(窮理)

학문의 이치

단속

뜻을 세워 자신이 가야 할 방향을 정했다면,
N
W
E
S

목표 달성을 위해 최선을 다해야겠지?
목표

최선을 다해 노력했다면 꿈은 반드시 이루어지게 돼 있어.
꿈은 이루어진다.
목표 달성

예를 들어 경찰관이 되는 것이 꿈인 친구가 있어.
경찰 공무원 시험

그런데 그는 평소에 욕을 입에 달고 살고 무단횡단을 일삼아.
육두문자.
빵! 빵!

하지만 그는 시험공부를 열심히 하면서 경찰관이 되는 꿈을 이루기 위해 최선을 다해.
이때 그가 하는 행동은 최선의 노력일까?
열공

아니야. 입지(立志)를 통해 목표를 정했다 하더라도 그 방법을 제대로 알아야 해.

수렴(收斂):
하나. 용모와 행동을 단속하라

그래서 이이는 용모와 행동을 단속하라고 했어.

!단 !속
용모 단정

또 모든 노력의 처음이자 마지막은 경(敬)의 마음가짐과 태도라고 가르쳤지.

경
시작
마음가짐과 태도
끝

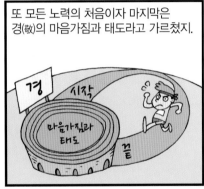

우리가 무언가 되고자 한다면 배워야 하고 또 배워야 해.

목표
공부
공부
공부

이때 제대로 배우기 위해서는 항상 공경하는 마음과 겸손한 마음이 있어야 하는데 이것이 바로 경(敬)이야.

경
공부

주자는 이런 말을 했어.

경의 자세를 유지하는 것이야말로 진리 탐구의 근본이다. 아직 알지 못하는 사람이 경의 자세를 갖지 않으면 앎에 도달할 방법이 없다.

또 공자는 이렇게 말했지.

군자가 무게가 있지 않으면 위엄이 없는 것이니, 그런 상태에서 학문을 해 봐야 배우는 것이 든든하지 못하다.

경(敬)의 태도란 무엇일까?
敬

경(敬)의 뜻은 '공경하다'야.

공
경

다리를 까딱까딱 떨면서 껌을 질겅질겅 씹고 있는 사람을 생각해 봐. 어떤 느낌이 드니?

느낌은 무슨!
질겅 질겅
까닥 까닥

이런 느낌의 정반대가 바로 경(敬)이야.

공
경

평소 생활이 경망스럽고 시끌벅적하면 마음가짐도 따라가게 돼 있어.

경
망
시끌
벅적
용모
행동
마음가짐

이이는 경(敬)에서 가장 중요한 것은 여유 있고 침착한 몸가짐이라고 했어.
몸가짐

그래서 다음과 같은 아홉 가지 경(敬)의 태도를 항상 잊지 말아야 한다고 강조했지.
이이 선생님 말씀
아 홉 가 지 경 의 태 도
1 2 3 4 5 6 7 8 9

발걸음은 무게 있게 한 발 한 발 제대로 디뎌야 하고,
족용중

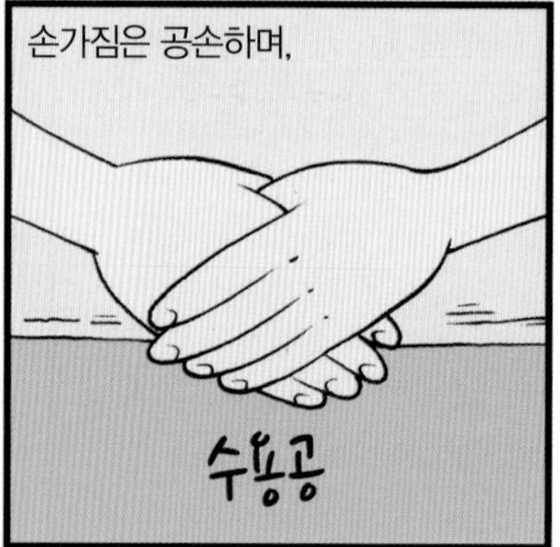
손가짐은 공손하며,
수용공

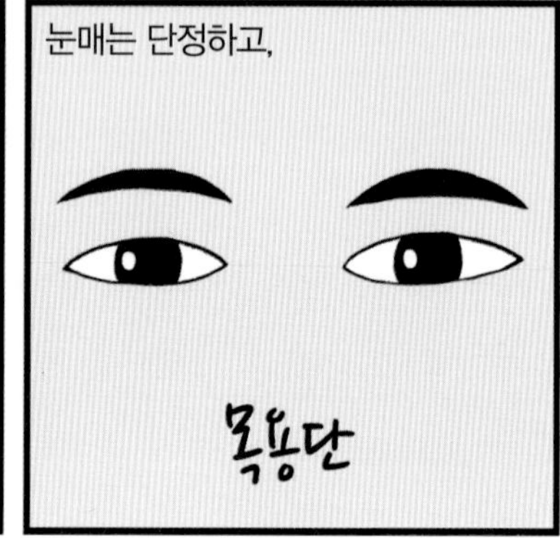
눈매는 단정하고,
목용단

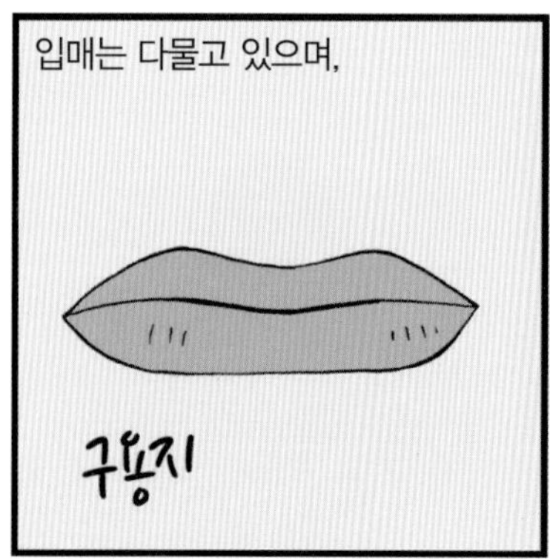
입매는 다물고 있으며,
구용지

목소리는 차분해야 해.
차분
성용정

또 머리는 기울임 없이 똑바로 정면을 바라봐야 하고
두용직

호흡은 마치 숨 쉬지 않는 것처럼 엄숙해야 하며,
기용숙

서 있는 모양은 의젓하고 점잖게, 다른 곳에 기대지 말아야 하고
의젓
입용덕

얼굴 표정은 밝아야 하지.
밝게
색용장

둘. 말을 삼가라

그다음으로 말을 삼가야 해. 아홉 가지 경의 자세로 몸가짐을 공경하게 한 다음, 가장 신경 써야 할 것은 바로 말조심이야.
1
2
3
4
5
6
7
8
9
말조심

'가는 말이 고와야 오는 말이 곱다'라는 속담도 있잖아?
안녕하세요?
안녕 하세요, 요, 요 요....

말로 천 냥 빚을 갚을 수도 있지만,
말로 때우려고?
천 냥 빚.

평생 원한을 맺게 될 수도 있다는 거 잊지 마.
다시 말해 봐!
켁!

주자는 이런 말을 했어.
말을 삼가고 조심해야 한다.
옥구슬에 난 흠집은 갈고 닦으면 다시 깨끗해지지만, 한번 잘못 내뱉은 말은 되돌릴 수 없다.

어느 누구도 나를 위하여 나의 혀를 잡아줄 수 없어.
혀

사람들은 자신의 생각에 따라 혀를 움직이기 때문에 실수할 때가 많아.
실수

그러니 경의 태도를 명심하여 침착하게 생각하고, 혀를 움직일 때는 항상 조심해야 해.
생각
혀
경

이 일은 자기 자신만이 할 수 있는 일이야. 쉽지 않은 일이니 열심히 노력해야 해.
경

셋. 마음을
단속하라

몸가짐과 말을 잘 다스렸다면
그다음은 마음 단속이야.
몸가짐
말조심
마음가짐

겉모습을 바르게 하고 말을 조심하면
서서히 마음을 다스릴 수 있어.
몸가짐
말조심
마음가짐

무언가 하고자 하는 일이 있다면
잃어버린 마음을 찾는 일이
가장 중요해.
잃어버린 마음

이이는 잃어버린 마음을 단속하고
거두어들이는 것은 배움을 위한
밑바탕이라고 했어.
배움
밑바탕

요즘 엄마들은 아기가 말하기
시작할 때부터 교육을 시작하지?
교육

그런데 이때 몸가짐이나 마음가짐에
대해 가르치지 않고 숫자, 한글, 한자,
영어 교육에만 열을 올린다고
생각해 봐.

수준이 낮고 흥미로울 때는
잘 따라가다가,
공부

수준이 높아지고 오래 탐구해야 하는
과제가 앞에 놓이면 금방 지쳐
버릴 거야.
어려운 과제
공부

공부를 하는 둥 마는 둥 하다가
결국에는 배움의 끈을 놓아 버릴지도
모르지.
배움

그러니까 책 읽기나 지식을
탐구하기 이전에
책읽기
지식탐구

행동과 생각이 법도에 어긋나지
않도록 공경하는 생활 습관을
갖도록 해야 해.
경
책읽기
지식탐구

궁리(窮理):
이치를 연구하다

예로부터 우리나라는 학구열이 매우 높은 나라였어.
KOREA
학구열

아주 어릴 때부터 공부를 시작해서 대학, 대학원까지 오랜 시간 공부에 열을 올리지. 그렇다면 왜 이렇게 공부를 해야 하는 걸까?
평생교육

친구들에게 '너는 왜 공부를 하니?' 라고 물으면,
나?

어떤 친구들은 '공부를 잘 해야 부와 명예를 얻을 수 있으니까요'라고 대답해.
부
명예

하지만 그건 올바른 답이 아니야.
삐-

돈과 명예를 위해서라면 공부가 아니더라도 이를 성취할 수 있는 방법은 많거든.

좋은 사업 아이디어로 부자가 될 수도 있고
창업
아이디어
₩

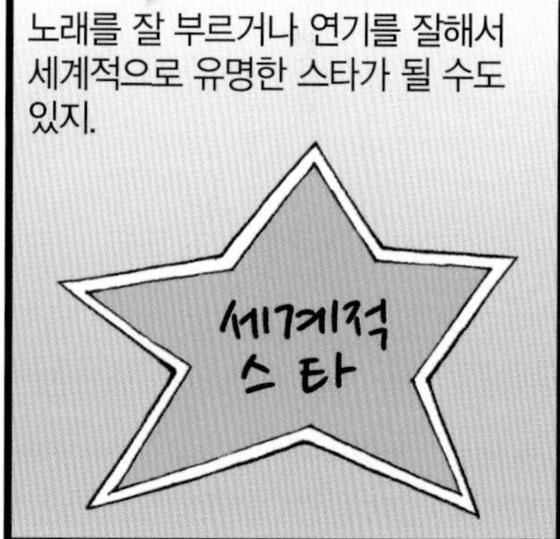
노래를 잘 부르거나 연기를 잘해서 세계적으로 유명한 스타가 될 수도 있지.
세계적
스타

그럼 소박하게 살면서 부나 명예 따윈 필요 없다고 생각하는 사람은 공부할 필요가 없을까?
소박한 삶
공부

절대 그렇지 않아. 우리가 공부를 하는 것은 세상을 정확히 알고, 알고 있는 것을 실천하기 위해서야.
공부
정확

옳은 일을 알아 가고 옳은 것을 밝히려고 노력하며, 이를 행동으로 실천함으로써 자신의 가치를 만들어 가는 과정이 진정한 공부라고 할 수 있어.
진정한 공부
실천

공부는 사람이 사람답게 살아가는 데
필요 충분 조건이라고 할 수 있어.
공부
사람답게 살아가는 조건

공부를 하지 않은 사람은 마음이 막히고,
식견이 어두워져 고집스러워지기 쉬워.
고집불통

그러므로 배우고 또 배워야 해.
공부
공부
공부
공부
공부
공부
공부

그렇다면 공부란 뭘까?
공
부

이이는 인류의 조상이 남긴 지혜의
글을 읽고, 만물의 이치를 깨닫는
것을 진정한 공부라고 했어.
진
정
한
공
부
이치
지혜의 글

이런 공부를 해야만 사람으로서 마땅히
해야 할 도리를 깨우치고, 지혜가 생겨
안목이 높아지며 올바른 행동이 무엇인지
알게 된다고 했어.
인간의
도리
지혜
안목
올바른
행동
공부

대부분의 보통 사람들은 훌륭한
사람이 되는 건 나와는 상관없는
일이라고 생각하는데 절대
그렇지 않아.
훌륭한
사람

날마다 배움을 반복하고 실천한다면
못 할 일이 없으니까.
실천
훌륭한
사람

매초, 매분, 매시간, 매일같이
배우고자 하고 마음으로 실천한다면
평생 쌓이는 공부 양은 정말
어마어마할 거야.
공부의
양

물론 공부하기 싫을 때도 있어.
공부가 어렵게만 느껴지는
때도 있지.
공부

공부가 싫거나 어렵게 느껴지는 건
개인적인 이기심에 사로잡혀 배움의
진정한 의미를 잊어버렸기 때문이야.
개인적인
이기심
진정한
배움

공부가 성공의 수단이 되어 공부 본래의
의미를 잃어버린다면, 공부는 우리의
몸을 구속하고 옭아매는 쇠고랑처럼
느껴질 거야.
공
부
구속

이치를 깨닫는
공부 방법

공부 방법에는 무엇이 있을까?
공부

이이는 몸과 마음을 단속하여 공경하게 한 다음 사물의 이치를 탐구하여 배움을 극진히 하라고 했어.
그렇다면 어떻게 해야 배움이 극진해질까?
배움

무조건 책만 들여다보라고 말하고 싶지 않아. 한 가지 사물에는 그 사물 고유의 이치가 있지만 그 이치를 탐구하는 방법은 매우 다양해.
이 치

이치는 책을 읽어서 얻기도 하고,
이 치
이치

사람들과 토론을 하며 얻기도 해.
토론
이치

또는 사물을 직접 경험해 보면서 분명해지기도 하지.
사과는 맛있다.
아작
사물
아작

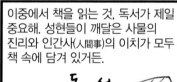

이중에서 책을 읽는 것, 독서가 제일 중요해. 성현들이 깨달은 사물의 진리와 인간사(人間事)의 이치가 모두 책 속에 담겨 있거든.

독 서
사물의 진리
인간사의 이치

중국의 대(大)학자 사마천도 독서를 중요하게 여겼어.

하루에 두 시간만이라도 책을 읽어 그날그날의 번뇌를 끊어 버릴 수 있다면 육체라는 감옥에 갇혀 있는 사람들에게 부러움을 살 수 있다.

독서

여러분들도 하루 한두 시간 정도 스트레스를 날릴 수 있는 일을 하고 있을 거야. 어떤 친구는 게임으로,
투 투
투 투

어떤 친구는 음악이나 영화로 말이야.

하지만 그 방법이 '독서'가 된다면 정말 다양하고 신비로운 경험을 하게 될 거야.

독 서

독서하는 방법

이이는 독서란 죽어야 비로소 멈출 수 있는 평생의 과업이라고 했어.
끼익!
독서
평생 과업

그러나 너무 서두르면 탈이 날 수도 있어. 독서할 때는 서둘러 빨리 끝내려 하지 말고 꾸준히 하는 것이 중요해.
과속 금지
독서
평생 과업

독서 초보자들은 글을 읽으면서 궁금증이나 호기심을 잘 느끼지 못해.
독서
ZZZ

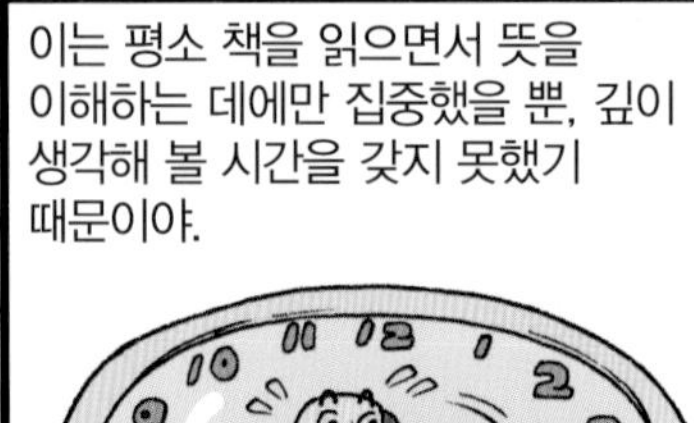
이는 평소 책을 읽으면서 뜻을 이해하는 데에만 집중했을 뿐, 깊이 생각해 볼 시간을 갖지 못했기 때문이야.

책을 읽으라고 하면 시간이 없다는 둥 너무 어렵다는 둥 궁색한 변명을 대는 이유는 '많이', '빨리' 하려는 욕심 때문이야.
빨리
빨리
욕심
많이

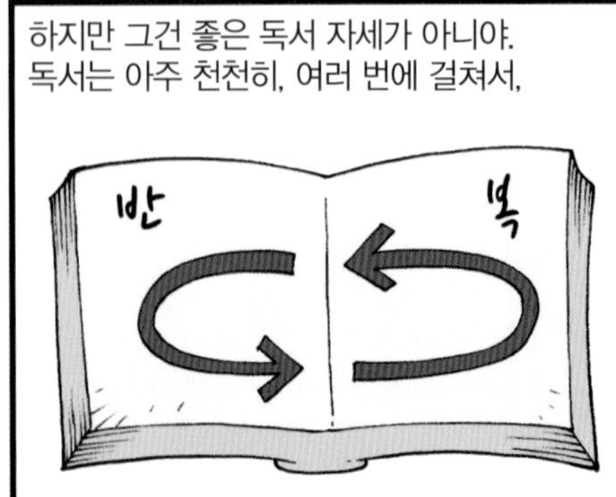
하지만 그건 좋은 독서 자세가 아니야. 독서는 아주 천천히, 여러 번에 걸쳐서,
반
복

쉬운 것부터 어려운 것으로 목록을 만들어 체계를 갖춰 읽는 것이 가장 좋은 방법이야.
독서
3단계
2단계
1단계

자신의 능력에 따라 하루에 우선 한두 단락을 보고 그 부분의 이해가 끝나면 다음 단락으로 넘어가는 게 좋아.
1단락
독서
2단락

이렇게 책 한 권이 끝난 이후에 다른 책으로 바꿔야 해.
꺼어억~.
독서

괜히 이 책 저 책 들었다 놨다 하지 말고 말이야.
너 되게 낯설다. 책인 나를 들었다, 놨다! 들었다, 놨다!
BOOK

독서할 때 무엇보다 중요한 것은
마음을 텅 비우고
텅…

기운을 고르게 하여
단전
호흡

숙독(熟讀, 상세히 생각하며 읽다)하는
거야.
숙 독

또한 숙고(熟考, 오랫동안 곰곰이
생각하다)를 해서 한 글자 한 구절까지
확실히 이해하고 넘어가야 해.
숙
고
구절

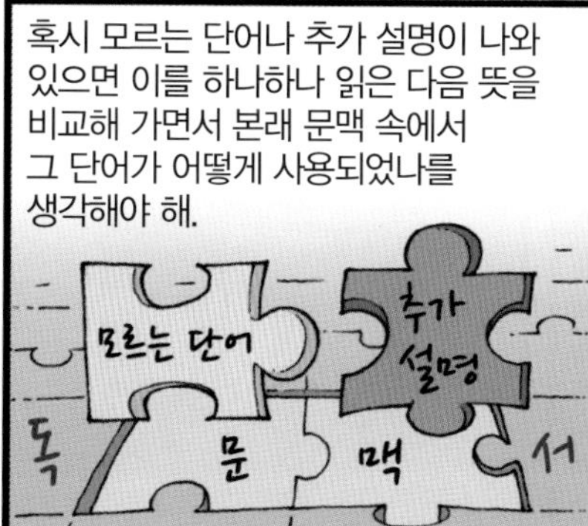
혹시 모르는 단어나 추가 설명이 나와
있으면 이를 하나하나 읽은 다음 뜻을
비교해 가면서 본래 문맥 속에서
그 단어가 어떻게 사용되었나를
생각해야 해.
모르는 단어
추가 설명
독
문
맥
서

또한 그 뜻을 이해했다 해도
반복하고 음미해서,
음미
오물
오물
내용

그 의미와 이치를 몸으로 깨달아야만
진정 그것을 제대로 읽고 배웠다고
할 수 있어.
씹을수록
깊은 맛이
나는군.

이렇게 독서와 탐구를 제대로 한다면
자연 만물의 이치를 깨달을 수 있을
거야.

천지 만물과
사람의 이치

평생 동안 깨달은 만물의 이치를
가르쳐 주세요.

으흠, 내가 특별히 여러분들에게
그 이치를 공개하겠소.

이 부분은 정신 바짝 차리고
읽어야 할 거야. 철학적인 내용들이
나오니까 조금 어렵게
느껴질 수도 있어.

유학 특히 성리학의 토대는 '자연과 인간의 근본 원리는 무엇이며,
자연과 인간의
근본 원리

어떻게 살아야 하는가?'에 대한 철학적 논의라고 할 수 있어.

이 부분은 성리학자마다 강조하는 바와 주장이 조금씩 달라 구분해서 알아 둬야 할 거야.
성리학

성리학에서는 만물의 근원을 '이(理)'라고 생각해.
이
만물

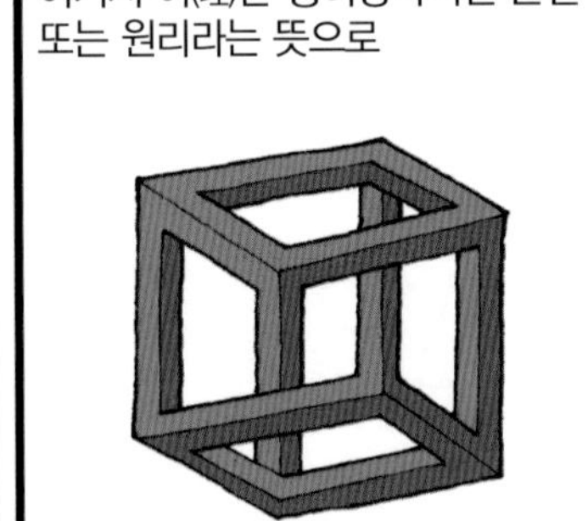
여기서 이(理)란 형이상학적인 본질 또는 원리라는 뜻으로

만물에 내재되어 있는 근본 원리라고 생각하면 돼.
이(理)
만물

우주 만물은 그것이 사람이든 사물이든간에 근본 원리는 하나야.
이(理)

겉으로 보이는 모습이 각각 다른 이유는 겉모습인 기(器, 그릇, 형태)가 다르기 때문이지.
기
기
기
기
기

천지 만물의 근원인 이(理)에 의해 맑은 기를 받으면 인간이 되고,
기

흐린 기를 받으면 사물이 돼.
기

맑음과 흐림,

무거움과 가벼움에 따라

형태에는 차별성과 등급이 있으니 세상에 존재하는 모든 사물이 다른 형태로 존재하는 것은 모두 기(器)가 다르기 때문이야.
기
기
기
기
기
기

사실 *오행(五行)에 의해 기를 부여받을 때 서로 다른 모습을 갖게 된 것일뿐, 실제로는 모두 같아.
기 기
오행
기 기 기
만물

서로 달라 보이는 만물이라도 알고 보면 모두 만물의 근원인 이(理)에서 나온 것이므로 결국 같은 셈이야.
기 기 기
이 자판기
만물
만물

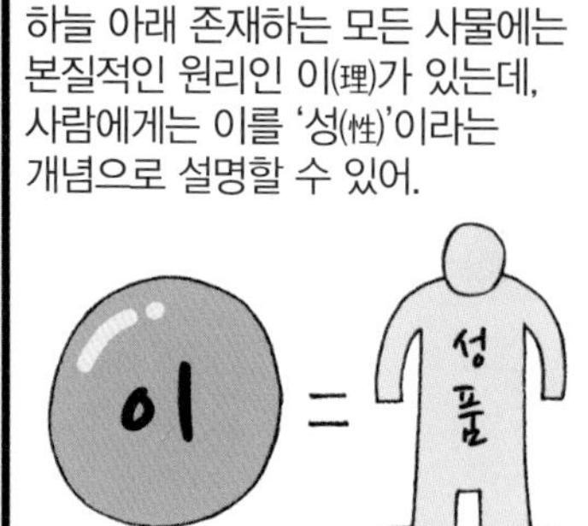
하늘 아래 존재하는 모든 사물에는 본질적인 원리인 이(理)가 있는데, 사람에게는 이를 '성(性)'이라는 개념으로 설명할 수 있어.
이
=
성품

* 오행(五行): 나무 목(木) · 불 화(火) · 흙 토(土) · 쇠 금(金) · 물 수(水) 등 우주 만물을 이루는 다섯 가지 원소.

성(性)이란 결국 사람을 사람이라고 말할 수 있는 '타고난 본성' 같은 거야.
성
품

인간을 인간답게 하는 건 뭘까?

잔악무도한 범죄를 저지른 사람을 가리켜 '인면수심(人面獸心)이다'라고 하는 걸 들어 본 적 있니?
어린이 유괴 살인사건 범인 검거!

사람 얼굴을 하고서 짐승 같은 마음을 먹고 범죄를 저질렀을 때 쓰는 말이야.
인면수심

사람과 짐승은 어떻게 다를까?
나랑 별 차이 없는 것 같은데?

지금부터 이이의 가르침을 들어 보자.

인간의 본성은
착하다

주자가 말하길, '사람은 어린아이가 갑자기 우물에 빠지는 것을 보면 깜짝 놀라 측은한 마음을 갖는데,

이것은 그 어린아이의 부모를 알아서도 아니고, 주변 사람들에게 칭찬을 들으려고 해서도 아니며,
칭 찬

비난 듣기 싫어서도 아니다'라고 했어. 그리고 이것이 사람의 본성이라고 했지.
비 난
본 성

이처럼 불쌍한 사람을 보았을 때 측은한 마음이 드는 것을 '측은지심(惻隱之心)'이라고 해.
춥겠다.

유학(儒學)에서는 인간만이 가진 아름다운 본성을 '인의예지(仁義禮智)'라고 했어.
인의예지
유학

측은히 여기는 마음은 인(仁)에서 나오고,
인

부끄러워하고 미워하는 마음은 의(義)에서 나오며
의
도둑!
침략자들
미워!

사양하는 마음은 예(禮)에서 나온다고 했지.
형님
먼저.
예
아우님
먼저.
양보

또 옳고 그름을 가리는 마음은 지(智)에서 나오는 것이라 했어.
흑
백
지

인간은 누구나 똑같이 인의예지(仁義禮智)를 가지고 태어나.
신생아실
인의 예지
인의 예지
인의 예지

그러나 인의예지가 사람의 행동이나 심성 그 자체가 되지는 못해. 선한 본성인 인의예지가 드러날 수 있는 씨앗을 가지고 태어나긴 하지만 모든 싹이 인의예지의 열매를 맺는 것은 아니기 때문이지.
인
의
예
지
인의예지
인의예지

인의예지의 선한 품성이 겉으로 드러날 때 여러 가지 인간의 감정으로 나타나는데 이것을 칠정(七情)이라고 해.
칠정

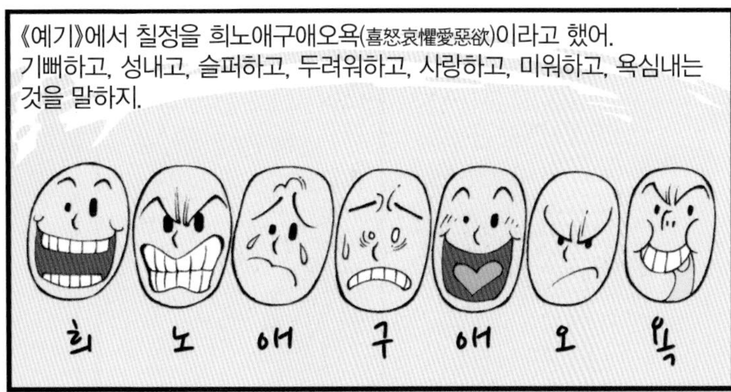
《예기》에서 칠정을 희노애구애오욕(喜怒哀懼愛惡欲)이라고 했어. 기뻐하고, 성내고, 슬퍼하고, 두려워하고, 사랑하고, 미워하고, 욕심내는 것을 말하지.
희 노 애 구 애 오 욕

희노애락(喜怒哀樂)은 훌륭한 성인이든 미치광이든 상관없이 사람이라면 누구든 가지고 있어.
성인
광인
희노애락

성인(聖人)과 광인(狂人)의 출신 성분이 다른 건 아니니까.
성인
광인
우린 하나래. 크하하!

그렇다면 인간이 다양한 감정과 마음을 갖는 건 본성이니 이에 따라 욕심을 부리고 분노를 드러내는 건 당연한 이치일까?
난 정당해!
욕심

그건 절대 아니야. 예를 들어 볼까?

여름의 심한 더위 때문에 젓갈이 상해서 구더기가 생겼다고 생각해 봐.
젓갈

구더기가 젓갈에서 생겼다고 해서 그 구더기를 젓갈이라고 할 수 있을까? 그건 아닐 거야.
얘도 젓갈.

여기서 구더기를 칠정에, 젓갈을 인의예지에 비유해 보자.
칠정
젓갈(인의예지)

구더기가 젓갈에서 생긴 건 맞지만 도리어 젓갈 자체를 썩게 만들잖아.
칠정
인의예지

그것은 마치 인간의 이기적인 감정과 욕심이 하늘이 내려 준 본성에서 비롯된 것이긴 하지만, 이것이 또한 선한 본성을 가리고 썩게 만드는 원인이 될 수 있다는 거야.
이기적인 감정과 욕심
선한 본성

기질의 본성

왜 이렇게 다른 걸까?
사단
칠정

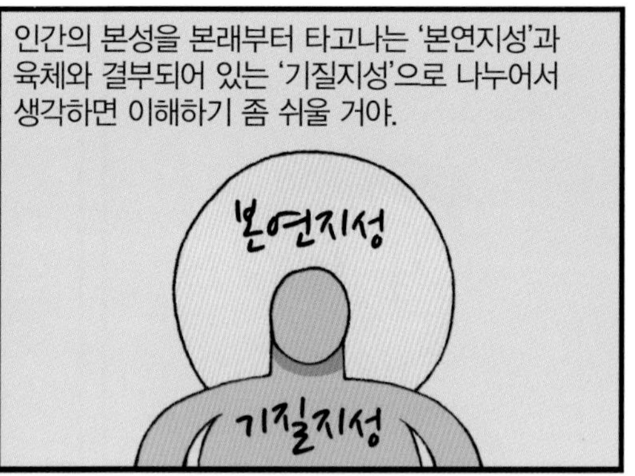
인간의 본성을 본래부터 타고나는 '본연지성'과 육체와 결부되어 있는 '기질지성'으로 나누어서 생각하면 이해하기 좀 쉬울 거야.
본연지성
기질지성

본연지성은 이(理)로만 이루어져 있어 아주 맑고 선한 모습이야.
본연지성

반면에 기질지성은 이(理)에 기(氣)가 결합되어 잘 다스리면 선하게 드러나고,
선
이
기질지성
기

잘못 다스리면 나쁘게 드러날 수 있어.
기질지성

인간의 순수하고 맑은 영혼 그 자체와 구체적 형상을 가진 육체가 결합되어
본연지성
기질지성

드러나는 행동은 다를 수밖에 없어.
본연지성
기질지성

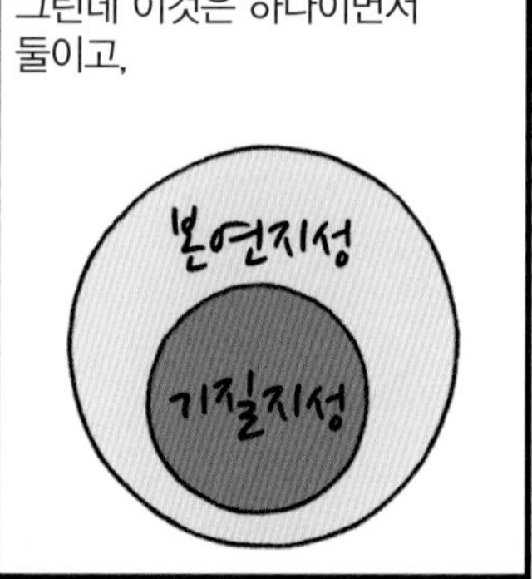
그런데 이것은 하나이면서 둘이고,
본연지성
기질지성

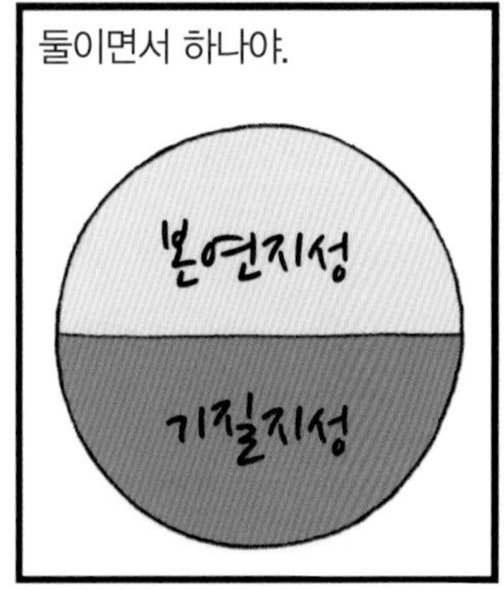
둘이면서 하나야.
본연지성
기질지성

영혼과 육체는 다른 것이지만 이를 구별해서 서로 떼어낼 수는 없잖아?
영혼
육체

마찬가지로 본연지성과 기질지성을 나누어 이해할 순 있지만 서로 구별해 떼어 놓을 수는 없는 거야.
둘 다 수박?
본연 지성
기질 지성

마음과 본성,
감정의 관계

아기의 얼굴이 평화롭고 고요한 것은 사람이 태어날 때 하늘이 부여한 인간 본성 그대로를 가지고 있기 때문이야.

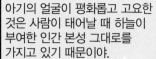

하지만 아기는 자라면서 다양한 환경에서 새로운 자극을 받고 이에 반응하면서 변해. 이때 드러나는 인간의 칠정(七情)은 누가 가르쳐 주지 않아도 저절로 갖게 되는 감정이야.

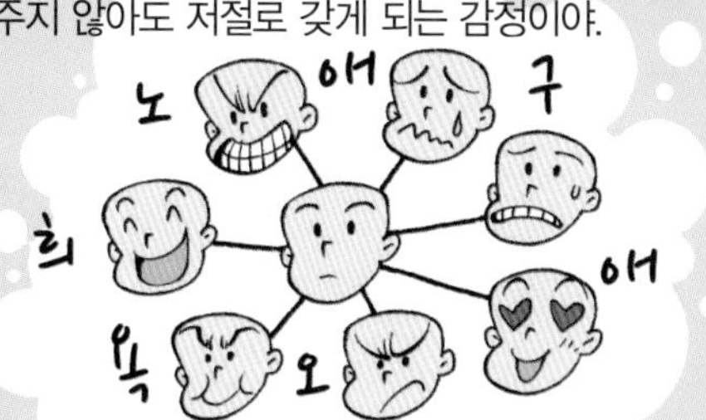
노
애
구
희
애
욕
오

인의예지는 오로지 이(理)를 말해. 반면에 칠정(七情)은 이(理)와 기(氣)를 합한 거야.

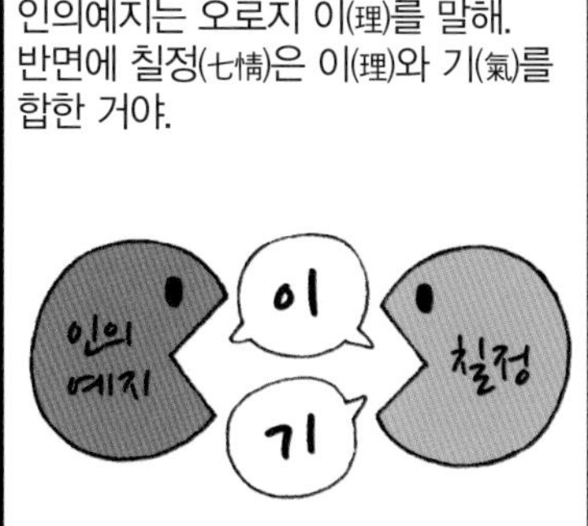
인의
예지
이
기
칠정

인의예지의 사단(四端)은 칠정(七情) 중에 착한 본성인 이(理)만을 의미한다고 볼 수 있어.

칠
정
이
사 단

달리 말하면 인간의 감정인 칠정에는 사단이 포함되어 있다고 할 수 있지.

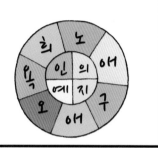

이이는 인간의 일곱 가지 감정이 인의예지의 단서인 사단에서 발생했지만 칠정 가운데서 선한 것만을 골라 사단이라고 생각했어.

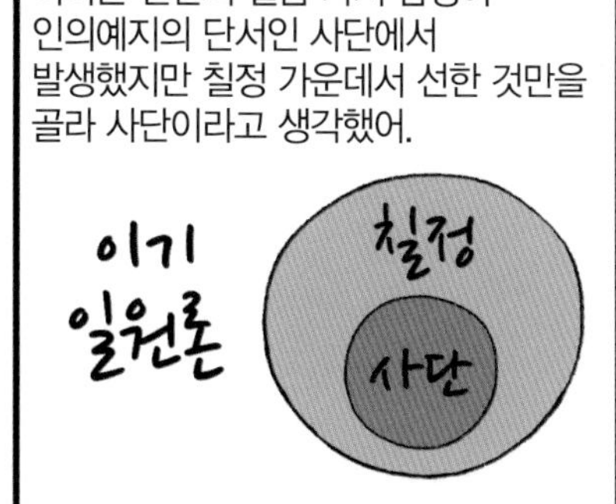
이기
일원론
칠정
사단

반면에 이황은 사단과 칠정은 서로 다른 것이라고 주장했지.

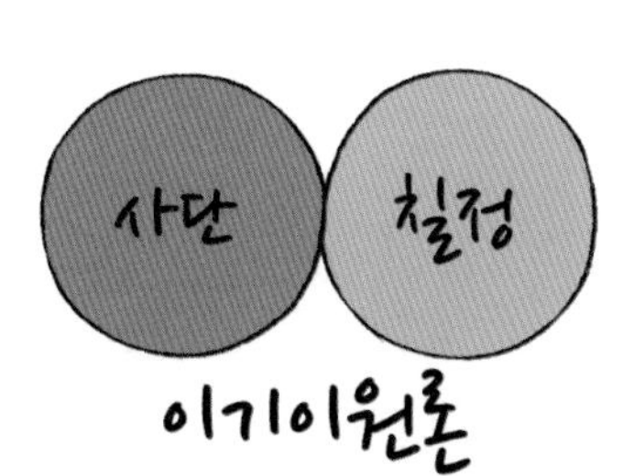
사단
칠정
이기이원론

이것을 보면 이이와 이황의 유학이 서로 다른 것임을 알 수 있어.

이황
유 학
이이
이기이원론
이기일원론

이이는 이황에 비해 인간의 본성에 해당하는 이(理)의 세계보다 구체적인 모습이 보이는 기(氣)를 좀 더 중요하게 다루었어.

이
기

다시 말해 이이의 유학이 좀 더 현실 세계에 가깝다고 할 수 있지.

이이가 현실 개혁에 비중을 둔 정치를 한 것도 이런 철학적 배경 때문이야.

현
철학적 배경
개혁 정치
실

마음을 비우고
비워서 궁리하라

자연 만물과 인간의 이치를 깨닫는 일은 결코 쉬운 일이 아니야. 이이도 매우 오랜 시간의 독서와 학문 탐구를 통해 얻었단다.
이제야 좀 제 맛이 나네.
쪽
독서 학문 탐구
오랜 숙성

그러므로 한두 권의 책을 읽었다고 자만하지 말고, 독서를 포기하거나 멈추지 말아야 해.
나에게 포기란 없다.
독
서

공자는 이렇게 말했어.
사람이 도를 넓히는 것이지 도가 사람을 넓히는 것은 아니다.
도

성현의 말씀을 살피고 현상을 본 후
성현들의 말씀

이해가 돼서 마음이 깨끗이 빛나고,
성현들의 말씀

마음에 의심이 사라지면 이것은 한 번에 깨우침을 얻은 경우라고 할 수 있어.
성현들의 말씀대로 믿고 따랐더니 한 번에 통과!

그런데 이 일에 욕심을 부려 의심을 품고, 의아해 하면 오히려 진실을 왜곡할 수 있으니 조심해야 해.
와인.
포도 주스
진실 왜곡

이것은 마치 창고 가운데에 서서 행랑채 기둥을 마음속으로 짐작하는 것과 비슷해.
행랑채 기둥

혼자 골몰히 앉아서 거듭 생각하다 보면 행랑채 기둥의 모양이 처음 생각했던 것과 점점 달라져.

이럴 때는 탁상공론(卓上空論)으로 상상을 키우지 말고,
상 상
탁상공론

다른 사람을 시켜 그 행랑채 기둥을 직접 두드려 가며 살피는 것이 좋아.
찰칵!
탁 탁
행랑채 기둥

오랫동안 힘들게 궁리를 해도 시원하게 풀리지 않고 마음이 막히고 어지러우면

뻥!

뚫어

모든 것을 잊어버리고 마음속을 비우는 것도 한 방법이야.
텅…

열심히 했는데도 환히 깨우쳐지지 않으면 우선 그 일을 놔두고 다른 일을 궁리해 봐.
운동
여행
취미

그렇게 다른 일을 궁리하고 또 궁리하여 차츰 마음이 밝아지면
마 음
궁리

예전에 통하지 못했던 것을 갑자기 깨닫게 되는 경우가 있어.
웬 횡재?
깨달음

그래서 주자가 '이해가 되지 않는데도 붙들고만 있으면 점점 더 어두워진다.
지끈
지끈

이때 다른 일에 몰두하면 그것으로부터 도움을 얻어 이해되지 않던 일이 밝아질 수도 있다'라는 말을 한 거야.
깨우침
몰
두

문장이나 글만 뒤지고 끄집어 내면서

책에서 이렇게 저렇게 말했다고 말만 내세우고
밀지 마.
책에서
한 말.

수기치인(修己治人)을 제대로 행하지 않는다면,
수기
치인

아무리 안목이 높고 이론이 탁월하다고 해도 제대로 학문을 이루지 못한다는 걸 항상 염두에 둬야 해.
학문

그럼 정성된 마음으로 진실하게 최선을 다한다는 성실(誠實)에 대해 공부하러 갈까?

5장

수기(修己) 편 – 성실(誠實) · 교기질(矯氣質) · 양기(養氣)

성실

교기질

양기

성실(誠實):
진실된 마음으로
최선을 다하라

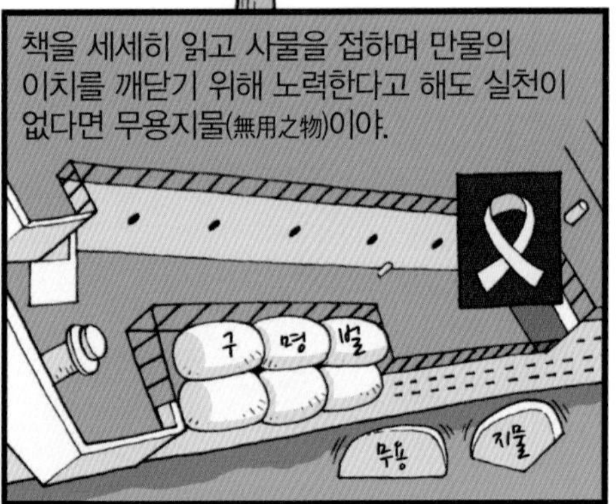
책을 세세히 읽고 사물을 접하며 만물의 이치를 깨닫기 위해 노력한다고 해도 실천이 없다면 무용지물(無用之物)이야.
구
명
별
무용
지물

모래 위의 성과 같지.

잘 배워서 이치를 깨달았다면 직접 몸으로 실천할 줄 알아야 해.
이치를 알고 실천하면 끝.
실천
금
연

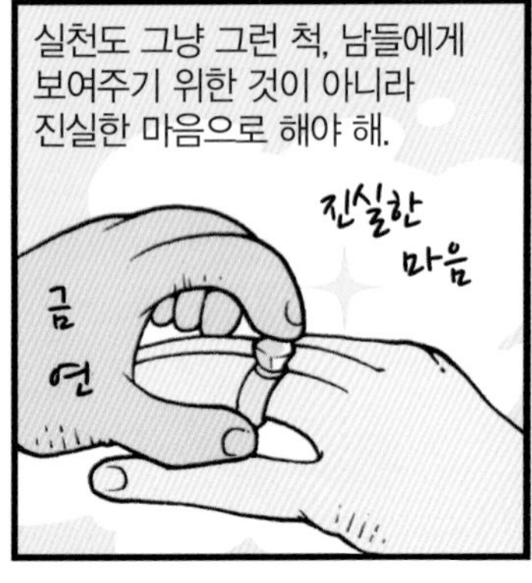
실천도 그냥 그런 척, 남들에게 보여주기 위한 것이 아니라 진실한 마음으로 해야 해.
진실한 마음
금
연

그런 마음이 진정한 공부의 바탕이 되는 거야.
진정한 공부
진실한 마음

정성된 마음으로 진실하게, 충성스럽게 최선을 다하는 성실(誠實)이 중요하다는 말이지.
성실

부모님이나 선생님으로부터
성실하라는 말을 많이 들었을 거야.
과연 성실(誠實)이란 무슨 뜻일까?
성 실

이이는 '성실은 스스로를 속이지 않는다'라고 했어.
성실
성실

성실이란 혼자 있을 때와 타인과 있을 때를 구분하지 않고 한결같은 마음으로 행동하는 것을 말해.

한결같은 마음
행동
성 실

《대학》에는 '군자는 반드시 홀로 있을 때 삼간다'라는 말이 있고,
뭘 할 수가 없네.
몰카

공자는 '옛날 학자들은 자기 자신을 위해 공부했는데, 요즘은 남을 위해 공부한다'는 말씀을 남겼지.
공부
공부
나
남

여러분은 공부할 때 어떤 마음으로 하고 있니?
?
공 부

공부를 통해 자신의 지혜와 현명함이 늘어나고, 창의적 아이디어가 떠오르며 도전 정신이 마구 샘솟는 즐거움 때문에 공부하고 있니?
공부

아니면 친구들에게 공부 잘하는 근사한 아이로 보이고 싶거나 엄마, 아빠의 자랑거리가 되고 싶어서 공부하고 있니?
전교 1등!
내 아들이야,
호호호호!
자랑 자랑
전교 1등

아니면 사회에 나가 출세해서 명예와 부를 얻고 싶어서 공부하는 거니?
출세
공부
부
명예

공부는 공부 그 자체로 즐겨야 하고,
공 부

공부를 통해 자신이 성장해 간다는 즐거움을 느낄 수 있어야 해. 다른 사람에게 자신을 알리기 위해 공부해서는 안 돼.
♪~
공부

남을 위한 공부는 자칫하면 자기 자신을 잃게 만들 수가 있거든.
남을 위한
공부

하늘에는 변하지 않는 진실한 이치가 있어 기(氣)의 흐름이 쉬지 않고 돌고 돌아.
기

사람에게는 진실한 마음이 있어 공부를 통해 계속 밝아지고 발전할 수 있는 거야.
진실한
마음

그러니까 사람이 진실하지 않다면 그것은 자연의 이치에 어긋나는 일이야.
자
연
의
이
치

효도해야 한다고 생각하지만 효를 실천하는 사람은 드물고,
효

나이 많은 형이나 누이를 공경해야 하는 것은 알고 있지만 실제로 이를 실천하는 이는 드물어.
공경 따위 개나 줘 버려.
공경

부부 사이도 마찬가지야. 서로 공경해야 한다는 건 알지만 실천하기는 쉽지 않지.
이것도 개나 줘 버려.
뭐 이런 사람이 다 있지?
부부간의 공경

또한 바른 말을 하고 지혜로운 사람이 좋은 사람인 줄 알면서도 실제로는 겉모습이 예쁜 사람을 더 좋아해.
예쁘다.
진실
거짓

나쁜 일을 저지른 사람은 마땅히 미워해야 하는 것을 알면서도
나쁜!

그 사람이 나에게 친절을 베풀거나 애교를 부린다면 나쁜 일을 눈감아 주는 경우도 있어.
뭐?
나한테 피해를 준 것도 아닌데 못 본 척하자.

만약 이런 행동이 관직에 있는 자의 모습이라면 성실하지도 정의롭지도 못한 일이 될 거야.

정치인들이 선거철에 수없이 '국민을 사랑한다'고 말하지만
국민 여러분! 사랑합니다!

실제로 당선이 되면 국민을 돌보는 마음은 온데간데 없어져. 그들은 마음에서 우러나지도 않는 인(仁)과 의(義)를 실천하는 척할 뿐이야.
시늉만 내자.
이런 거 개나 줘 버려.
인
의
으르릉~
국민

이런 위선적인 행동은 오래 지속하기 어려워.
국
민
재출마
낙선

처음에는 힘써 노력하는 것처럼 보이지만 점점 게을러지고 변하기 마련이지.
고인 물은 썩기 마련.
노력
게으름

이것은 모두 진실한 마음에서 우러나온 것이 아니기 때문이야.
거짓된 마음
진실된 마음

마음이 진실하지 못하면 모든 것이 위선일 텐데 어떻게 성실함을 실천할 수 있겠니?
실천
위선

예로부터 '성실함이 성인(聖人)의 근본이다'라고 했어.
성실

이는 마음이 진실하면 모든 일이 다 진실할 수 있다는 뜻이야.
진실

뜻을 성실하게 하는 성의(誠意)는 결국 수기치인(修己治人)의 근본이라고 할 수 있어.
수기치인
성의

이이가 《성학집요》에서 일관되게 주장하는 것도 바로 성실이야.
성학집요
성!
실!
성실!

마음에 성실함이 없으면 목표를 이룰 수 없고,
목표
불성실

이치에 성실함이 없으면 진실로 깨우치는 것이 없으며
왜 안 나와?
이치
성실
불성실
깨달음

행동에 성실함이 없으면 제대로 실천할 수 없음을 꼭 기억해 주면 좋겠어.
목표 달성
실천

고기질(矯氣質):
기질을 고쳐라

성실하게 학문을 해 나간다면 한쪽으로 기울어진 기질이 바뀌어 인간이 타고난 본연의 성향으로 회복될 수 있어. 바람직한 방향의 변화가 찾아온다는 뜻이지.
기질
학
문

이이는 학문을 하는 중요한 이유 중 하나가 바로 자신의 비뚤어진 기질을 변화시키는 것이라 했어.
기 질

부모의 유전자가 다르니 겉모습이 다른 것은 어쩔 수 없다 하더라도

인간이기에 지니고 태어난 맑은 영혼의 본성은 달라지면 안 돼.
맑은 영혼의 본성
변하지 않는 처음 그맛 그대로

그런데 어떤 사람은 본성대로 살지만 어떤 사람은 더러운 때를 묻힌 채로 살아가.
선한 삶
악한 삶

혹시 '자기 얼굴에 책임을 져야 한다'라는 말을 들어 본 적 있니?

미국의 링컨 대통령은 이런 말을 했어.
나이 마흔이 되면 자기 얼굴에 책임을 져야 한다.

또 조선시대의 학자 김수온은 이렇게 말했지.
그 사람의 언행을 보면 그 사람이 《소학》까지 읽은 사람인지 《사서삼경》을 깨우친 사람인지 단번에 알 수 있다.

얼굴에 책임을 지라는 말은 살아가는 대로 얼굴이 변한다는 뜻이기도 해.
넌 나이가 들수록 고와지는구나.

마음과 행동을 예쁘게 하면 외모에도 그대로 드러나서 아름다운 인상이 된다는 뜻이니까
나눔

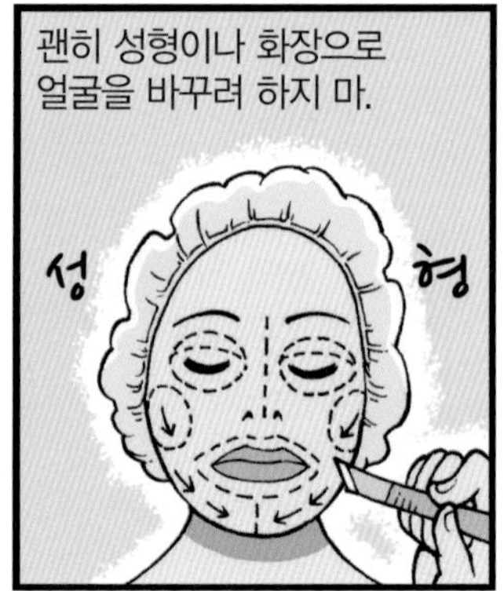
괜히 성형이나 화장으로 얼굴을 바꾸려 하지 마.
성 형

공자는 '타고난 성품은 비슷하지만 습관에 따라 서로 멀어진다'라는 말을 했어.
습관
습관
타고난 성품

또 주자는 '타고난 기질의 특성상 사람마다 좋고 나쁨이 있을 수 있으나 그 거리는 그리 멀지 않다. 하지만 좋은 습관을 갖게 되면 더욱 좋아지고, 나쁜 습관을 갖게 되면 더욱 악하게 되어 결국 서로의 거리가 아득하게 멀어진다'라고 말했지.
선
좋은 습관
악
나쁜 습관
기질
기질

학문을 통해 이치를 깨닫고 진심으로 배운 것을 실천한다면 기울어진 나쁜 기질을 바로잡을 수 있어.
기질
학
문

그러기 위해서 무엇을 어떻게 해야 할까?

가장 먼저 해야 할 일은 극기(克己)야. 극기야말로 기질을 바로잡는 첫걸음이지.
기질

극기를 통해
기질 바로잡기

극기란 자기 자신의 이기심을 극복한다는 뜻이야.
이기심
극복
욕심

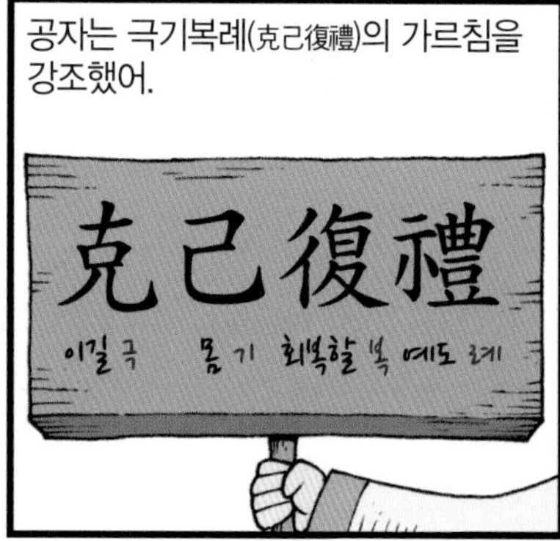
공자는 극기복례(克己復禮)의 가르침을 강조했어.
克己復禮
이길 극 몸 기 회복할 복 예도 례

즉 '자기의 개인적인 욕망을 이기고 예(禮)를 회복하는 것이 인(仁)을 행하는 것이다'라는 거지.
인
욕
심
예

공자는 자기의 사사로운 욕망을 다스려서 예를 회복한다면 천하가 모두 어질게 된다고 믿었어.
욕망
예
仁 어질 인

그래서 공자는 예가 아니면 보지도 말고, 듣지도 말고, 말하지도 말라고 한 거야.

눈에 예뻐 보이고, 입에 달콤하고,
몸에 편안한 것은 모두 개인의
사사로운 욕망이라고 할 수 있어.

개인의 사사로운 욕망이 지나치면
큰 문제가 생길 수도 있어.
욕
카드빚
망

그러니 용기를 내서 이런 욕망을
절제하고 끊어 버려야 해.
이것이 바로 극기야.
욕망
극
기

이이는 인간에게는 세 가지 사사로운
욕망이 있다고 했어.
첫째는 '성질의 *편벽됨'이고,
성질
공평

둘째는 '이목구비(耳目口鼻)의 욕망'
이야.

셋째는 '남을 시기하고 이기려는
욕망'이라고 했지.
아이고~, 배야!
사촌이 땅을 샀나 봐!
데굴
데굴

* 편벽: 한쪽으로 치우쳐 공정하지 못함.

그러므로 자신을 잘 살펴서 조금이라도
스스로에게 사사로운 뜻이 있다면 이를
이겨 내야 해.
욕
망

사람이 가장 이기기 어려운 것이
분노와 욕심이야.
분노
욕심

분노와 욕심은 사람의 감정 중에서
가장 숨기기 어렵고 참기 어려운
것이거든.
더 이상은
못 참아!

뉴스에 매일같이 홧김에 누군가를
다치게 했다는 이야기가 나오는 것을
봐도 알 수 있어.
층간 소음으로 인해 이웃 간
불화가 끊이지 않고 있습니다.
POLICE LINE
긴급 뉴스

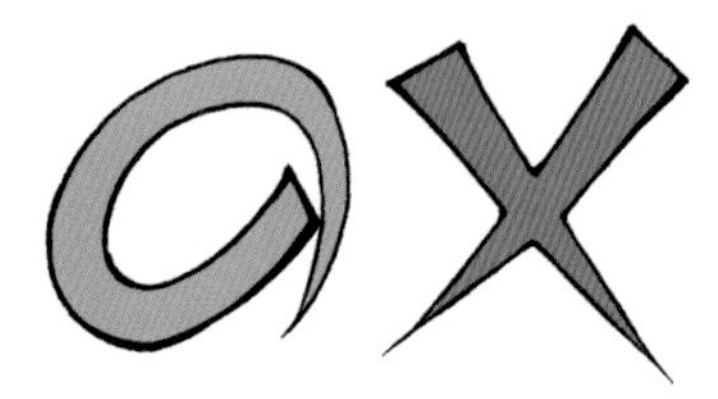
분노의 마음이 들었을 때는 노함을 잊고
마땅한 이치의 옳고 그름을 봐야 해.
물론 이건 쉬운 일이 아니야.

분노만 삭힐 수 있다면 이미
도(道)의 반을 이룬 것이나
다름없다는 말도 있지.

참을 '인'
도

사람의 감정 가운데 가장 제어하기 어려운 것이 분노라고 하니 욱하는 마음이 생겼을 땐 산을 잘라 내는 강한 힘으로 이를 가라앉혀야 해.
욱!
나가고 싶어!
안 돼!

욕심은 주변 유혹 때문에 생기는 경우가 많아.
후~
유혹

사람이 나쁜 행동을 하는 건 바로 이 욕심의 유혹 때문이지.
욕심의 유혹

이처럼 분노와 욕심은 억제하기 어려우니 극기가 기본이 되어야 해.
극기 훈련
분노
욕심

산을 깎고 물구덩이를 메우는 강한 힘으로 분노와 욕심을 막을 수 있다면 그 자체로 성인군자(聖人君子)가 될 수 있어.
분노.욕심

군자(君子)란 분노를 가라앉히고 개인의 욕심을 누른 사람이지.
군
자
분노
욕심

공부를 통해
기질 바꾸기

널리 배우고 자세히 알게 되면 모든 사물을 신중히 생각하고 분별할 줄 알게 돼.
신
중

그러니 배우는 것을 멈춰선 안 돼. 무슨 말인지 알 수 없다면 알게 될 때까지 묻고 공부해야지.
공
부

누군가는 한 번에 해낼 수 있는 일을 백 번은 해야 한다면,
1
100
99
98

다른 사람이 열 번에 할 수 있는 일을 나는 천 번 하면 돼.
10번
1000번

그렇게 할 수만 있다면 어리석고 유약한 기질이라도 반드시 밝고 강해질 수 있어.

사람 기질의 맑고 흐림은 저마다 차이가 있지만,

맑음
흐림

본성은 모든 사람들이 비슷한 상태로 회복될 수 있어.

본
성

그래서 맹자는 '사람은 모두 요임금이나 순임금처럼 될 수 있다'라고 한 거야.

요임금
(선양)
순임금
(근검)
칭
송

* 선양(禪讓): 임금의 자리를 자손에게 주지 않고 덕 있는 사람에게 물려줌.

태어날 때부터 세상의 모든 예술성과 기술을 갖추고 있는 사람은 없어. 어린아이가 처음 악기를 배울 때를 생각해 봐. 그 악기가 아무리 훌륭한 것이라 해도 처음 악기를 접하는 아이의 연주는 듣기 힘들 거야.

아가가
아가가

하지만 쉬지 않고 노력하면 소리는 점차 맑아질 거고, 연주자는 높은 경지에 이르게 될 거야. 예술과 기술의 목표인 '사람들에게 감동을 전하는 것'도 가능해지겠지.

감동의
물결

학문도 마찬가지야. 열심히 노력하면 학문의 목표인 '기질을 변화시키는 경지'까지 오를 수 있어.

벼는
익을수록
고개를
숙인다.

그런데 안타깝게도 오랜 노력으로 사람을 감동시키는 재주를 펼치는 예술가나 기술자는 많아도

감동
기예

학문을 통해 기질을 좋게 바꿨다는 사람은 보기 힘들어.

도대체
왜냐고?
학문

공부를 많이 했다고 해서 강한 사람이 부드러워지거나 부드러운 사람이 강해지는 경우가 흔치 않고, 탐욕스러운 이가 청렴해지는 경우도 많지 않다는 뜻이야.

공부

이는 말과 글을 풍요롭게 하고 지식을 넓히는 일에는 한껏 힘쓰면서

지식
말
글

정작 학문을 통해 이루어야 할 '기질 바꾸기'에는 최선의 노력을 다하지 않기 때문이지. 그러니까 학문을 통해 기질을 바로잡고 선해지기 위해서는 끝없이 노력해야 해.

지식
말
글
기질
선

양기(養氣):
바른 기운을 길러라

기질을 변화시키려면 좋은 기운을 더욱 키워 꽉 채우고, 나쁜 기운을 몰아내야겠지?
좋은 기운
변비엔 물이 효과적이야…
나쁜 기운

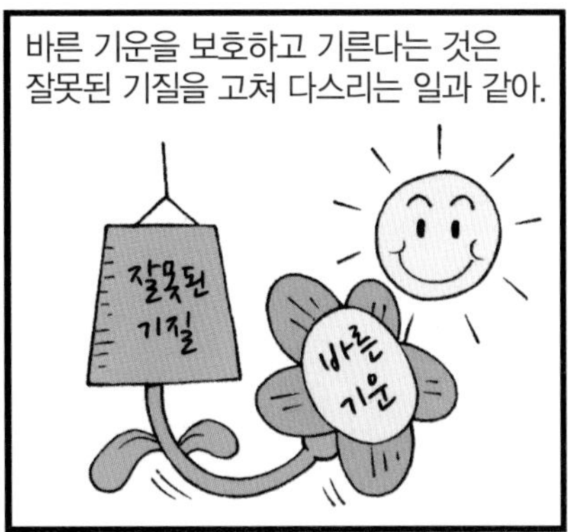
바른 기운을 보호하고 기른다는 것은 잘못된 기질을 고쳐 다스리는 일과 같아.
잘못된 기질
바른 기운

맹자는 '좋은 마음을 키울 때 욕심을 적게 갖는 것보다 더 좋은 것은 없다'고 했어. 사람이 욕심을 덜 부리면 잃어버리는 착한 본성의 양을 줄일 수 있어.
없다.
아껴서 먹었어야지.
욕심
본성

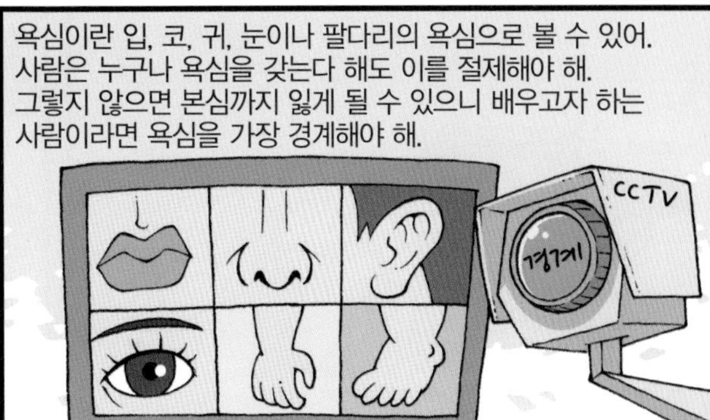
욕심이란 입, 코, 귀, 눈이나 팔다리의 욕심으로 볼 수 있어. 사람은 누구나 욕심을 갖는다 해도 이를 절제해야 해. 그렇지 않으면 본심까지 잃게 될 수 있으니 배우고자 하는 사람이라면 욕심을 가장 경계해야 해.
CCTV
경계

언어를 조심하고
음식을 절제하라

눈의 욕심이란 눈에 보기 좋은 것을 얻고자 함이고,
욕심

코의 욕심이란 좋은 향기를 얻고자 함이겠지?
향수

정자는 '욕심을 부린다는 건 깊이 빠져드는 것만을 가리키는 것이 아니라 뜻이 향하는 것만으로도 곧 욕심이다'라고 말했어. 뭔가를 좋아하는 마음까지 경계한 거지.
힐끔
명품

요즘 우리들의 생각과는 많이 다르지? 우리는 좋은 음식을 찾아다니고 나에게 어울리는 옷을 골라 입는 개성과 유행의 시대에 살고 있잖아?

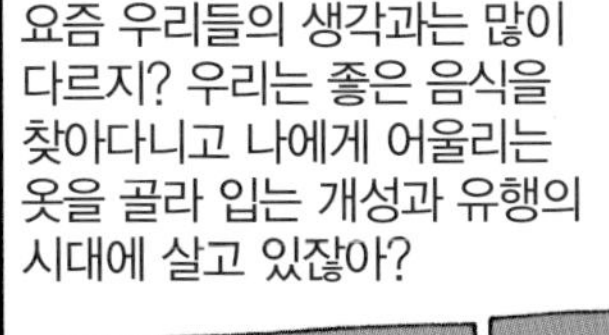
전국 맛집
검색

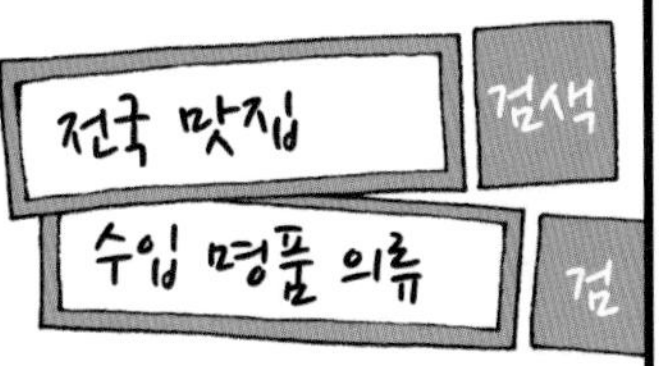
수입 명품 의류
검

그런데 이이는 우리가 이런 일에 마음을 빼앗기면 인간으로서 지녀야 할 본연의 천리(天理)에 어두워진다고 했어.
인간의 도리
욕심

이이는 기호(嗜好, 좋아하는 취향)의 욕망에 의해 자기 중심을 잃어버릴 수 있다고 말해. 놀이와 취미는 인간의 본성을 빼앗을 수 있다고 여겼던 거지.

좋은 말
할 때
본성 내놔.
취
놀
이
향
취
미

이것은 학자들이 매일 읽고 쓰는 글자의 경우에도 적용돼.

글자
글자
가르

글자를 읽고 쓰는 것을 좋아해 이에 집착한다면 글자의 진정한 의미를 잃어버릴 수 있으니 경계하라는 거야.

암호가 일치하지 않습니다.
아이디
집착
비밀번호
글자의 의미
로그인
남몰래 들어가기
보안접속

귀와 눈이 소리와 색을 좋아하면 진실로 마음에 해가 돼. 음란한 소리와 아름다운 색은 뼈를 손상시키는 도끼나 톱과 같거든.

끼이…
끼이…
음란한 소리
뼈
색
뼈

입이나 몸이 즐기는 것은 진실로 마음까지 해칠 수 있고, 입을 유쾌하게 만드는 맛은 반드시 오장을 상하게 할 수 있다는 것을 잊지 마.

심장
비장
폐장
간장
현혹
신장

기쁨이나 노여움이 중용의 도를 잃어버리면 마음이 날로 방종해지고 방탕해져.

도
방탕

마침내 하나의 기(氣)도 잇지 못하고 몸의 온갖 뼈가 끊어지고 말 거야. 그럼 어떻게 천명을 보존할 수 있겠어?

뼈

내 몸의 혈기를 온전하게 지키고 싶다면 멀리할 것은 확실히 멀리하는 것이 좋아.

우리랑 놀자
오빠야.
주
색
잡기
혈기

그래서 공자는 '군자에게 세 가지 경계할 것이 있는데 혈기가 정해지지 않은 젊은 시기에는 여색(女色)을 경계하고,

허우적
허우적
여색

장성해서는 혈기가 왕성하니 싸움을 경계해야 한다.

덤벼!
씩!
씩!

또 혈기가 쇠약해져 늙게 되면 재물을 얻는 것을 경계해야 한다'고 했어.

우리도 이제
베풀며 삽시다.
흥, 무슨 말씀!
늙을수록 돈이
있어야지.
₩

호연지기를
길러라

이이는 이목구비의 욕망 대신 천지 자연에 가득 차 있는 맑고 좋은 기운을 얻으려 노력해야 한다고 가르치고 있어.
성현의 욕망
천지자연

하늘과 땅 사이를 가득 메운 넓고 큰 기운을 호연지기(浩然之氣)라고 해. 천지 자연 사이에 가득 차 있는 좋은 기를 내 것으로 받아들여 지극히 크고 강해져야 해.

기
천지
자연
호연지기

천지 자연에 뻗쳐 있는 도와 의의 기운을 내 몸 안으로 받아들여 만족할 수 있을 정도로 흠뻑 느껴야 해. 그렇지 않으면 내 몸의 도와 의가 쇠약해질 수 있어.
천지자연
도
의

어른들이 '밖에 나가서 놀아라'고 하는 말 속에는 '자연에서 놀면서 큰 기운을 얻어라'라는 뜻이 담겨 있어. 좋은 기운을 북돋을 필요가 있을 때는 TV나 스마트폰을 버리는 것은 물론, 책도 잠시 접고 자연 속으로 들어가 천지 자연이 지닌 도와 의의 기운을 한껏 받아들이도록 해.
자연
기운

바른 기운을 키우는 양기(養氣)는 착한 본성(性)을 회복하는 것과 같아.
양기
본성 회복
맥락

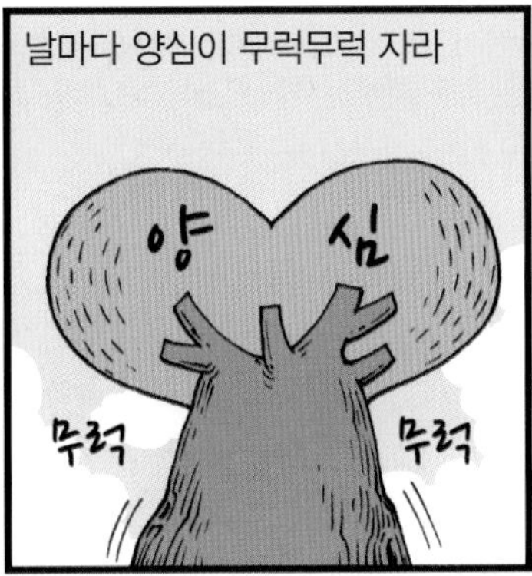
날마다 양심이 무럭무럭 자라
양
심
무럭
무럭

혼탁하고 가려진 것이 모두 제거된다면
혼탁
정화 필터
호연
지기

호연지기가 내 몸 안에 흘러 넘쳐 천지 자연과 하나가 되는 경지에 오른 것이니 타고난 본성으로 돌아간 것이라 할 수 있어.
천지 자연
호연
지기
선한
본성
몸

사람이 죽고 사는 것, 장수하고 요절하는 것은 정해진 운명이라 하지만
관 준비해.
사주
관상

우리가 타고난 도리와 기운을 다 누리며 살면 좋지 않겠어?
도리와
기운

6장

수기(修己) 편 - 정심(正心)·검신(儉身)

마음과 몸. 이 둘은 떼려야 뗄 수 없는 관계라고 생각해.

몸
마음

'보고 있어도 보고 싶다'라는 노래 가사를 들어 본 적 있니?

보고 있어도
보고 싶은~♪
보고 있어도
보고 싶은~♪

보고 있는데 보고 싶다는 건 모순처럼 들릴 수 있어.

모 순
뭐든지 뚫는 창
뭐든지 막는 방패

하지만 눈으로 보고 있으니까 더 보고 싶은 마음이 간절해지는 건 아닐까?

못 보거나 안 보는 상황이라면 보고 싶은 마음도 점점 사라지게 될 거야.

'Out of sight, Out of mind'란 영어 문장처럼 말이야.

Out of sight
Out of mind
"몸이 멀어지면
마음도 멀어진다."

정심(正心):
마음을 바르게 하라

몸과 마음은 서로 밀접한 관계가 있어. 여러분들이 만약 어떤 마음을 먹었다면 몸도 마음이 가는 방향으로 함께 움직일 수 있도록 잘 다스려야 해.

몸
마음

이 일에 대해 옛 선현들이 어떤 생각을 했고, 어떤 말을 했는지 알아보자.
선현들의 생각

인간의 본성이 하나이듯 몸과 마음이 추구해야 하는 것도 하나야.

몸
마음
목적

앞에서 강조한 바와 같이 그건 바로 경(敬)이야.

공경
꾸벅

경이 무엇인지 헷갈린다면 4장을 한 번 더 읽어 보렴.
4장. 수렴과 궁리

주자는 다음과 같이 말했어.

경(敬, 공경함)은 성인이 되려는 사람들에게 제일 중요한 의미를 갖는 것으로 철두철미하게 지켜야 한다. 절대로 중간에 끊어지게 해서는 안 된다.

이이가 말하는 정심(正心)과 검신(檢身)도 결국은 경(敬)을 지키고 보존해야 한다는 이야기야.

경
정심
검신

삼가고 조심하여 고요하고 평온한 마음을 보존한다는 경(敬)!

경

하지만 겁은 먹지 마. 경을 지키는 일은 절대 어려운 일이 아니거든.

자기가 원래 가지고 있는 것을
그대로 유지하기만 하면 되는 게
경(敬)이거든.
본 성
경

맹자는 '자기 마음을 잘 보존해
본성을 올바르게 기르는 것이 하늘을
섬기는 것이다'라고 말했어.
본 성
보 존

자기가 타고난 마음 그대로를
보존하는 것이 하늘을 섬기는 것이고,
그것이 바로 경(敬)을 유지하는
방법이라는 의미야.
보
존
선한 본성

인간의 심성은 하늘이 부여해 준
것이므로
심 성

이것을 잘 보존하고 길러야 해.
심 성

그렇지 않으면 하늘을 섬기는 도리에
어긋난다는 거야.
섬기는
하늘을
도 리

그러니 타고난 대로 사는 것, 그것이
바로 경을 지키는 거지.
NO!
성형수술

우리 인간이 너무 훌륭하게
타고나서 힘든 거라니까, 하하!
왈!
왈!

하늘을 섬긴다고 하니까 뭔가
종교적인 느낌이 든다고?

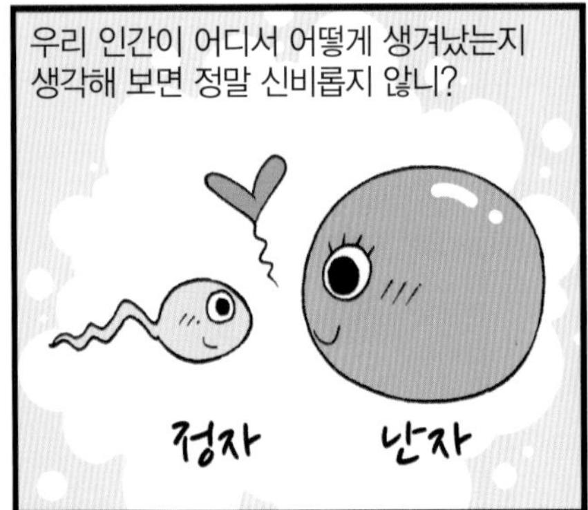
우리 인간이 어디서 어떻게 생겨났는지
생각해 보면 정말 신비롭지 않니?
정자
난자

부모님의 유전자로 만들어진 육체에 정체를 알 수 없는 정신과
영혼이 결합된 것이 바로 우리 인간이니까.
영 혼
아버지 유전자
어머니 유전자

인간은 자연 만물과는 다른, 뭔가
특별한 능력을 가지고 있으면서
특별한 능력
이 성

모든 생물들이 가지고 있는 생명체로서의 이치도 함께 갖고 있어.
모든 생명체들이 한 번 태어나 성장한 후 죽듯이, 인간도 그 순리를
벗어나지 않아.

인간이 아무리 신비로운 존재라
해도 우주 만물의 속성을 함께 갖고
있는 거지.
우주 만물의 속성

세상에 불멸하는 사람도, 늙지 않는
사람도 없잖아?
내 꿈은
*불로장생!

그러니 욕심내지 말고 자연스럽게,
우주 만물처럼 내 몸과 마음을 지킬 수
있어야 해.
몸과마음

* 불로장생: 늙지 아니하고 오래 삶.

우리 안에 이미 담겨져 있는 것을
지키는 일이니 참 쉽겠지?
넌 내가
지킨다.
선한 본성

게다가 그것만으로도 하늘을
섬기는 것이라고 하니,
네?
나를 잘
섬기고
있구나.
본 성

그냥 내 몸과 마음을 타고난 대로
유지하는 것만으로 하늘까지 섬기는
성스러움을 얻을 수 있다는 거잖아.
성스러움
유지관리
선한
본성

하지만 타고난 본성을 있는 그대로
지키는 건 그리 쉬운 일이 아니야.
선한본성

수많은 욕심과 유혹에 부딪치거든.
친하게 지내자.
욕심
유혹

또한 후천적으로 생긴 나쁜 습관들
때문에 악(惡)해질 수도 있어.
악!
습관
후천적

옛날 앨범을 한 번 들춰 봐.

Photo Album

어린 시절 사진을 보면서 '어쩜 저렇게 귀엽고 예쁠까? 천사가 따로 없군' 이라고 생각한 적 있지?

바로 그거야. 세상에 태어나 본성을 유지하고 있는 어린 시절에는 하늘이 내린 착한 본성을 그대로 지니고 있었을 거야.

그런데 자라면서 형과 동생은 엄마 사랑을 독차지하려고 경쟁하고,

경 엄마의 사랑 쟁
엄마의 사랑은 내 차지다.
어림 없어!
형
동생

친구들과는 서로 지지 않으려고 욕심 부리다 가끔 나쁜 일을 저지르기도 할 거야.

엄마가 먹지 말라는 것을 몰래 먹거나 어린 동생을 때리기도 하지.

급할 때는 무단 횡단을 하고,

깜빡 잊고 숙제를 안 해 가는 일도 있을 거야.

숙제 검사

그러면서 타고난 착한 본성이 점점 흐려지고 어두워지는 거야.

착한 본성

그렇기 때문에 경을 지키려면 부단한 의지와 노력이 필요하단다.

경

함양(涵養):
보존하고 키워라

타고난 선한 본성을 잘 보존하고 기르기 위해서는 이를 갈고닦는 노력이 있어야 해. 함양이란 보존하고 키운다는 뜻이야.

선한 본성
함양

인격을 잘 보존하고 키운다는 뜻으로 인격 함양이라는 말을 쓰고,

인
격
함
양

도덕성을 잘 보존하고 키운다는 뜻으로 도덕성 함양을,

도덕성

창의성을 잘 보존하고 키운다는 뜻으로 창의성 함양이라는 말을 쓰지.

창의성 함양

우리가 평생 살면서 지키고 키워 나가야 할 것이 있다는 건 정말 좋은 일이야.

심심하진 않을 거야.
인격 함양
도덕성 함양
창의성 함양

함양이란 인간이 가지고 있는 선한 마음을 갈고닦는 것을 의미해.

착한 마음

함양의 방법에는 학문을 통해서 갈고닦는 법과

학 문

정좌(靜坐, 고요하고 바른 자세)를 통해 갈고닦는 법이 있어.

학문이든 정좌든 모두 욕심에 물들지 않고, 타고난 마음과 본성을 잘 보존하도록 도와주지.

내가 지켜 줄게.
그럴 수 있을까?
선한본성
함 양
욕심

함양은 끊임없이 갈고닦는 성실한 태도가 중요해.

함
양

'가다가 멈추면 아니 간 것만 못하다'라는 말이 있지? 끝없이 펼쳐진 함양의 길을 가려면 늘 꾸준히 노력해야 해.

함양을 통해 맑고 드높은 상태가 되려면,
함 양

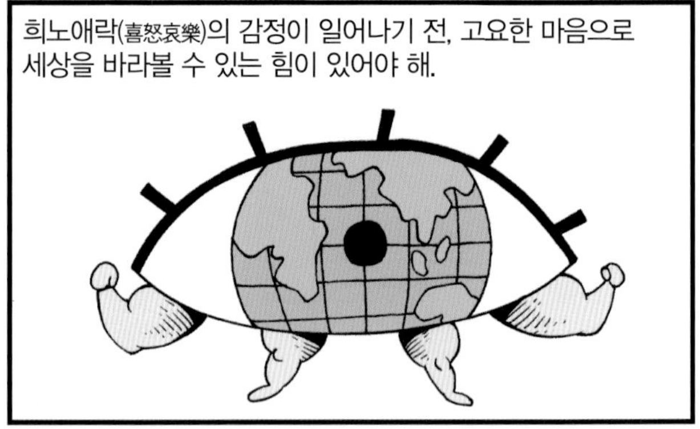
희노애락(喜怒哀樂)의 감정이 일어나기 전, 고요한 마음으로 세상을 바라볼 수 있는 힘이 있어야 해.

마음이 번잡스럽고 복잡하면 내 눈앞에서 벌어지는 일도 제대로 못 볼 수 있거든.
누구야? 안 비켜?

'평정심을 잃지 말자'라는 말 알지? 마음과 몸을 고요히 가라앉혀 주변 상황을 차분하게 바라볼 수 있어야 해.
평정심

고요한 마음으로 상황을 바라보면 결코 어긋나는 일이 없어.

고요하고 평화롭게 자신의 마음을 다스려서 잡다한 생각이 일어나지 않도록 해야 해.

어떤 친구를 보면 얼굴에 평화로운 기운이 흐르는 경우가 있어.

뭔가 모범생에 귀공자 분위기가…….
모범생
귀공자

그 아이가 어떤 아이인지 잘은 몰라도 분위기로 느껴지는 고요함!
분위기

그렇게 되려면 흥분하거나 초조해하지 말고 항상 마음에 고요함이 깃들도록 해야 해.

그러면 작은 일에 흔들리지 않고 차분하게 문제를 해결하는 멋진 아이가 될 수 있을 거야.

성찰(省察):
마음을 살펴라

자신이 고요한 상태인지 아닌지 알기 위해서는 자기 자신을 정확히 파악할 수 있어야 해.
….

스스로가 화난 것인지 즐거운 것인지 제대로 살필 수 없다면 자기 마음 상태 또한 고요하게 되돌릴 수 없어.
내가 지금 어떤 기분이더라?

아무리 성인(聖人)이라도 생각하지 않으면 미치광이가 되고,
난 아무 생각 없다.

아무리 미치광이라도 잘 생각하면 성인이 될 수 있다는 말이 있어.
생각 좀 하자.

성인이 되는 일이 쉬운 일은 아니지만 성인이라도 미치광이가 될 수 있다는 말이야.
누구신지?
내가 너거든.
성 인
미치광이

미치광이도 성인이 될 수 있다니. 대체 무슨 뜻일까?
성 인

성인이 생각을 안 한다는 것은 상상할 수도 없는 일이지만,

조금이라도 어긋난 생각을 하게 된다면 미치광이까지는 아니더라도 그에 가까이 갈 수 있음을 경계한 말이야.
미 쳐-!!
W·C

그러니 항상 경계하고 두려워하는 마음을 늦추지 말라는 거지.
항상 확인하자.

공자는 '마음이란 잡아 두면 보존되고, 버려 두면 없어진다'라고 했어.
보존

마음이 들어가고 나가는 것을 잘 헤아릴 수 없으니 항상 보존해 없어지지 않도록 노력해야 한다는 뜻이야.
확인.

그런데 이 마음이란 것이 눈에
보이지 않는 것이라 살피기 어려워.

하지만 일단 마음을 잘 잡아 두면
오래 머무르게 할 수 있어.
사라져
보시지.
망했다.

반대로 방치하면 멀리 떠날 수 있으니
조심해야 해.
Goodbye

마음은 들어오고 나가는 때도,
장소도 정해진 게 없으니 도통
짐작할 수가 없어.
?

게다가 움직이는 마음은 항상
위태롭고 안정되지 않으니 이것을
살피고 다스리는 일은 쉬운 일이 아냐.
개골
어느
쪽으로
뛸까?
마음

그러니 마음을 살피는 것에 대해
잘 알아 둬야 해.
개골
마음

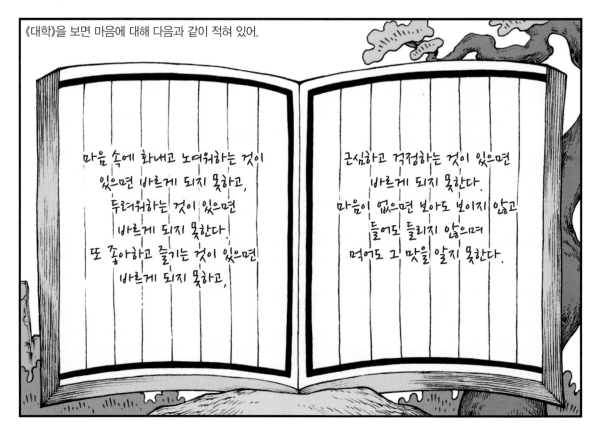

《대학》을 보면 마음에 대해 다음과 같이 적혀 있어.

마음 속에 화내고 노여워하는 것이
있으면 바르게 되지 못하고,
두려워하는 것이 있으면
바르게 되지 못한다.
또 좋아하고 즐기는 것이 있으면
바르게 되지 못하고,

근심하고 걱정하는 것이 있으면
바르게 되지 못한다.
마음이 없으면 보아도 보이지 않고
들어도 들리지 않으며
먹어도 그 맛을 알지 못한다.

마음이 한쪽으로 기울어지면 올바른 일을 할 수 없어.

도대체 그걸 어떻게 아는 걸까?

예를 들어 볼까? 어떤 친구가 여러분이 정말 소중히 여기는 물건을 맘대로 가지고 가서 고장을 냈다고 하자.

허락 없이 내 물건을 가지고 간 친구의 잘못을 꾸짖고, 친구에게 그 물건 값을 변상받았어.

그 이후에도 그 친구가 예전 그대로 너를 대하고,
이봐 친구!

내 마음도 그 일이 있기 전과 후가 다르지 않다면

마음이 기울어지지 않은 것이라고 할 수 있어.

고요한 마음으로 친구의 잘못된 행위만을 꾸짖은 것이고,

물건을 돌려받았으니 그 친구를 대하는 것이 달라지면 안 되지.

그런데 그 친구를 미워하는 마음이 남아 있어 사이가 서먹해진다면 그건 친구 잘못이 아니라,
서먹

자기 마음이 평정심을 잃었기 때문이야.
크아!

결국 꾸짖고 변상받은 것도 친구를 미워하는 마음 때문에 행한 것이니 옳은 행동이라고 할 수 없어.

'죄는 미워하되, 사람은 미워하지 말라'는 말이 있어.

미워.

나?

아뇨, 얘요.

24

죄

이와 같은 경지에 도달하려면 자신의 마음이 먼저 평정심을 지키고 고요한 상태를 유지해야 해.
평
정
심
개골

마음이 무언가에 얽매이면 행동도 따라오게 돼 있거든.
이유
몸

이이는 무언가에 얽매이는 이유를 크게 세 가지로 나누었어. 첫째는 미래에 대한 기대 때문이고,
나의 미래

둘째는 일이 끝났는데도 잊지 못하는 미련 때문이야.
W.C

셋째는 일을 할 때 치우쳤던 마음 때문이지.
일
마음

결국 아직 발생하지도 않은 미래에 대한 기대 혹은 불안과 과거에 대한 미련,
미련
불안
과거
미래

그리고 현재의 집착 때문에 마음이 무언가에 얽매이고 구속당하는 거야.
구속

이로 인해 낭비되는 에너지가 너무 아깝지 않니?
낭
비

평정심을 지키지 못하면 예기치 못한 상황에 올바르게 반응하거나 대처할 수 없어.
불이다!
기름

그러니 항상 마음을 맑게 비워서 어떤 상황이 일어나더라도
텅...
마음

다각적으로 생각하고 정확히 판단해서 대응해야 해.
소화기
대응

그리고 자기의 마음을 볼 수 있는 능력이 있어야 해. 마음은 몸의 주인이기 때문이지.

손.

늘 바른 마음 상태를 유지하면 이목구비와 팔다리, 온몸이 그 명령을 듣고 일을 제대로 수행할 수 있어.

이성적으로는 이해되는데 마음으로는 용서가 안 되는 상황을 경험해 본 적 있니?

오죽 급했으면! 난 이해할 수 있을 것 같아.

집 앞에 이런 일을, 난 절대 용서가 안 돼.

이성

개똥

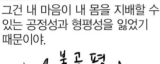

그건 내 마음이 내 몸을 지배할 수 있는 공정성과 형평성을 잃었기 때문이야.

불공평
공정성
형평성

그러니 움직임과 고요함,

말하는 것과 침묵,

말

들어오고 나감,

앉고 일어섬이 오로지 내 마음이 시키는 대로, 내 몸을 다스릴 수 있도록 해야 해.

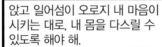

앉아.
일어서.

혹시 너희들 가운데 공부를 열심히 하는데, 성적이 안 오르는 친구가 있다면 금방 말한 것들이 잘 되지 않아서일 거야.

열공
성적

공부하는 것에 비해 성과가 나오지 않는 것도 마음이 떠나 있기 때문이야.

성적
열공
열 공

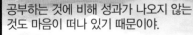

그러니 마음은 반드시 내 몸 속에 있도록 노력해야 해.

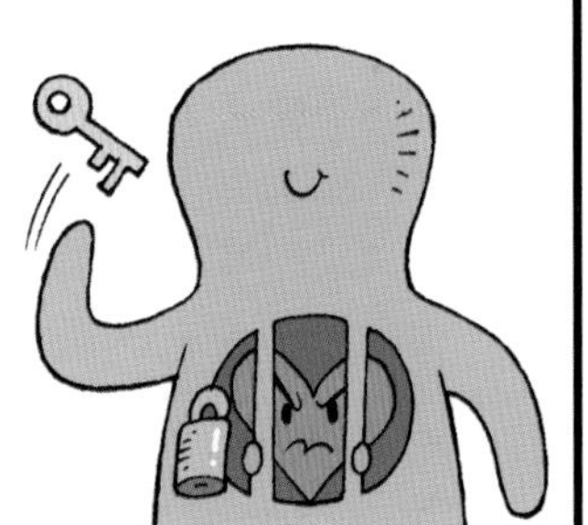

괜히 이것저것에 휘둘리지 말고 말이야.

마음 수련

《예기》에 이런 말이 있어.
무엇을 생각하듯 엄숙하게 지내고, 안정되게 말을 하라. 그러면 백성들을 편안하게 할 수 있을 것이다.
예기

《주역》에는 또 이런 말이 있지.
공경함으로써 내면을 곧게 하고
의리로써 외면을 반듯하게 한다.
주역

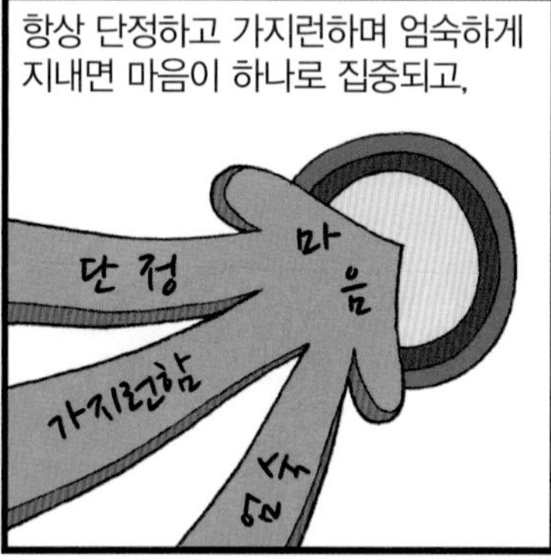
항상 단정하고 가지런하며 엄숙하게 지내면 마음이 하나로 집중되고,
단정
가지런함
엄숙
마음

마음이 하나로 모이게 되면 치우침 없이 올바른 판단을 내릴 수 있다는 말이야.
옳음
그름

공부를 하고, 독서를 하고,
공부
독서

생각을 제대로 해야 하는 궁극적인 이유는 사악함을 없애기 위해서야.
뻥!
사악함
공부
독서

그래서 공자는 '사악한 것을 막고 성실함을 보존하라'고 했어.
걱정 마, 내가 지켜 줄게.
사악함
사악함
성실함

또 《시경》 삼백편을 한마디로 말하면 '생각에 사악함이 없다'라고도 했단다.
인간 본연의 모습
시경 삼백편

우리가 공부하고 독서하며 생각을 깊게 한다면 사악한 마음과 행동은 하지 않을 거야.
아무도 없어. 그냥 가.
아직 빨간 불 이거든.

말로만 공부하고 독서한다면서 친구에게 상처를 입히거나

행동으로 남을 해친다면 그것은 마음 수련이 덜 되었기 때문이지.
POLICE LINE

잊지 마! 본래 마음은 텅 비고 맑아서 빈 거울 같기도 하고 평평한 저울처럼 균형 잡혀 있다는 것을 말이야.

여러 가지 욕심에 가려 본체가 흔들리거나 인간의 감정이 복잡하게 얽히지만 않으면 본래 마음을 회복할 수 있어.

회 복
욕 심
복잡한 감정

그러니 마음이 혼탁해지지 않도록 하는 것이 아주 중요해.

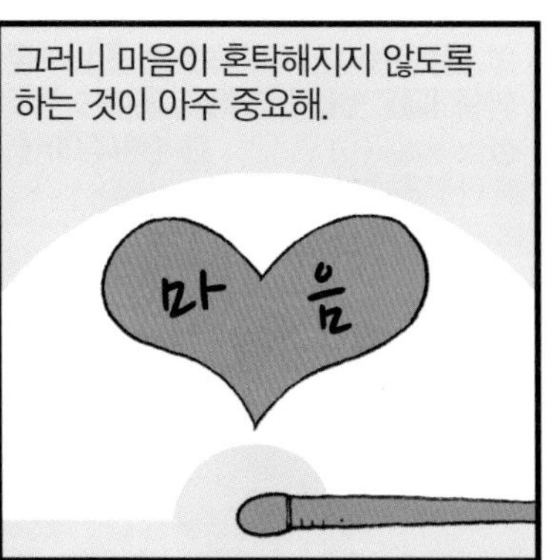

마 음

마음이 혼탁해진다는 것은 뭘까? 이이는 이것을 두 가지로 설명했어. 하나는 지혜가 어두워지는 것이고 하나는 기운이 어두워지는 것이라고 했지.

지혜

기운

지혜가 어두워진다는 것은 이치를 연구하지 않아서 시시비비(是是非非)를 가리는 데 둔해진다는 것이고,

??
옳음
그름

기운이 어두워진다는 것은 게으르고 방탕해서 잠잘 것만 생각한다는 뜻이야.

zzZZ

그리고 나쁜 생각에도 두 가지가 있다고 했지.

두 가지.

그것은 악념(惡念)과 부념(浮念)이야. 악념이란 바깥 사물에 유혹되어 개인적인 욕심을 차리는 것을 말해.

유혹

부념(浮念)은 뜬구름 잡듯 펼쳐지는 여러 가지 딴 생각을 가리키지.

거기 서!
뜬구름

어떤 상황을 만나기 전에 나쁜 생각에 빠져 마음이 혼탁해지면

생각의 중심(中心)과 균형을 잃어 버릴 수 있으니 조심해야 해.

쿵!

그래서 군자는 이치를 연구하여 선(善)을 밝히고,

이
치
연구
선

의지를 돈독히 하여 기(氣)를 거느리며 함양(涵養)하여 성실함을 보존하고, 성찰(省察)하여 거짓을 제거한 후, 어둡고 혼란함을 다스려야 한다고 했어.

만약 마음이 텅 비고 고요하여 본심을 얻게 된다면,

비록 귀신이라 할지라도 그 틈을 엿볼 수 없고, 사물을 판단함에 어긋남이 없을 거야.

야구공.
농구공.
축구공.

공부를 잘 하고 싶다고? 그렇다면 다음의 내용을 명심해야 해.

1. 학문을 할 때 밤낮으로 부지런히 힘쓰되, 빨리 완성되기를 바라지 않는다.
2. 의지가 약해지지 않도록 한다.
3. 힘이 들고 답답한 생각은 반드시 털어 버린다.
4. 마음을 깨끗이 씻어서 잡념이 하나도 떠오르지 못하도록 한다.

그러면 기상이 맑아지고 온화해져서 오랜 시간 공부에 몰두할 수 있게 될 거야.

또 마음이 우뚝 서 주변에 끌려다니지 않게 될 거야.

꿈쩍도
안 하네.

무엇보다 나쁜 것은 효과가 빨리 나타나기를 바라는 마음이야.

난 왜 빨리 효과가
안 나타나는 걸까?
꾸준히 해.

기대하는 마음을 품었다가,

효과가 안 나타난다는 생각이 들면 금세 포기하고 싶어지거든.

포기.

그러니 죽을 때까지 마음을 바르게 하는 데 힘쓰겠다는 의지를 가지고 도전해야 해.

정상

검신(檢身):
자신의 몸을 다스려라

마음을 바르게 하는 정심(正心)이 내면을
다스리는 것이라면,
허이!
샥
내면
정심

몸을 다스리는 검신(檢身)은 외면을
다스리는 것이야.
허이!
샥
외면
검신

앞에서도 말했지만 몸과 마음의
일은 동시에 일어나기 때문에
우리는
일심동체.
몸

오늘은 정심에 힘쓰고 내일은 검신에
힘쓸 수 있는 것이 아니야.
오늘
내일
정심
검신

그럼에도 정심과 검신을 따로
설명하는 이유는 그 성격이
'안과 밖' 같기 때문이야.
검신
정심
안
밖

검신이 무엇인지 알려면
아기를 임신한 여자들을
살펴보면 알 수 있어.
?

하늘의 선물로 귀한 아기를 뱃속에
잉태했을 때 임신부들은 지나치다 싶을
정도로 먹는 것, 보는 것,
예민
보는 것
먹는 것

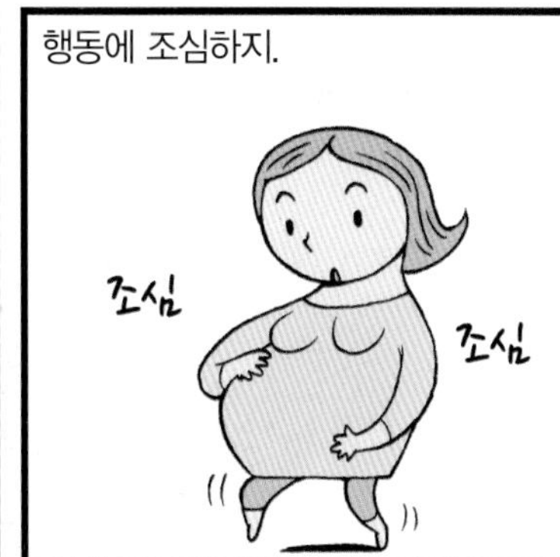
행동에 조심하지.
조심
조심

평소에는 가리지 않고 잘 먹던 사람도
이건 이래서 안 되고, 저건 저래서
안 된다며 잘 먹지도 않아.
태아 성장에 필요한
칼슘 흡수 방해.
카페인
음료
탈 나면
큰 일.
회
태아의
건강을 해침.
패스트
푸드

아마 여러분의 부모님들에게
여쭤 보면 알 수 있을 거야.
엄마, 궁금한 게
있어요!

먹지 말라고 한 것과 하지 말아야
하는 게 얼마나 많았는지 들으면
깜짝 놀랄걸?
먹지
마.
하지 마.
먹지
마.
하지 마.
먹지 마.
하지 마.
먹지 마.

이처럼 깨끗하고 온전한 것만을 보고 느끼며 만지는 것은 뱃속의 아기와 더불어 자기를 보존하고 지키는 행동이야.

요즘같이 복잡하고 빠르게 돌아가는 시대에 지킬 수 있는 것이 많지 않겠지만, 바른 행동으로 자신을 지킬 수 있는 몇 가지를 정해 실천했으면 해.

바른 행동
실천

몸을 공경하고
예를 갖추어라

공자는 '모든 공경은 다 중요하지만 몸을 공경하는 것이 가장 중요하다' 라고 했어.

공
몸
경

부모님께서 주신 몸이니 소중하게 생각해야 해.

몸

몸을 소중히 다루지 않으면 그것 자체로 불효가 되는 거야.

어머니, 저 불효했어요.
?
상처

자기 몸을 사랑하는 것이야말로 부모를 사랑하는 것이고, 부모님이 가장 바라는 일이거든.

몸
흐뭇…

군자는 간사한 소리를 듣지 말고 어지러운 빛을 보지 말라고 했어.

간사한 소리~
어지러운 빛
OFF
ON

나쁜 영상을 보면 총명함이 흔들리고,

흔들~ 흔들~
?

우울하고 음란한 음악을 들으면 마음이 게으르고 간사해질 수 있음을 경계하는 말이야.

어우 ~~~~
19
우울하고 음란한 음악

이렇게 되면 한쪽으로 치우쳐진 나쁜 기운이 온 몸에 퍼져 나갈 테니 귀와 눈, 코와 입, 그리고 마음과 몸을 모두 바른 길에 올려 놓아야 해.

바른 길
그른 길
입
코
눈
귀
몸
마음

행동과 모습은
위엄 있게 하라

위엄 있는 행동과 모습은 어떤 것일까?
이순신

다음은《논어》에 나온 글이야. 작은 것부터 정해 두고 실천했으면 해.
논어

얼굴 표정을 드러낼 때에는 사나움과 게으름을 멀리 해야 하고,
사나움
게으름

안색을 마주칠 때에는 믿음으로 가까이 하며
믿음
안색

말과 소리를 낼 때에는 저속함과 거슬리는 말을 멀리해야 한다.
저속함
거슬리는 말

실제로 공자는 무엇을 먹을 때도 자른 부위가 바르게 잘려 있지 않으면 먹지 않았고,
NO

자리가 반듯하지 않으면 앉지 않았다고 하니, 그 조심스러움과 경계함이 어느 정도였을지 짐작할 수 있겠지?
NO

또《예기》에는 다음과 같은 글이 있어. '시선이 남의 얼굴보다 위에 올라가면 거만한 것이오,
거만한.

허리띠 아래로 내려가면 근심하는 것이오,
무슨 근심거리라도?

옆으로 기울면 간악한 것이다.'
간악한.

이런 몸가짐을 제대로 갖춘다면 저절로 위엄을 갖게 될 거야.

항상 경계하라

속담에 '공든 탑이 무너진다'라는 말이 있어. 생각해 봐. 이보다 허무한 일이 어디 있겠어?
바벨
탑

실제로 공든 탑이 무너지는 이유는 아주 하찮은 것에서 비롯될 때가 많아.
하찮은 일

그래서 《서경》에는 이런 글이 있어.
펄럭
훌륭한 덕이란 하찮게 여기거나 업신여기는 것이 없다는 것이다!
서경
펄럭

하찮게 여기는 것을 경계하라는 의미지.
이 정도 쯤이야.
안전

작고 보잘것없는 것이라고 무시하다가 큰 것을 잃을 수 있어. 그러니 작은 행실이라도 조심해야 해.

거대한 산이 무너지는 건 아주 작은 흙더미 때문에 시작될 수 있다는 것을 잊지 마.
방 빼깝쇼?
그런 심장 떨리는 소리를! 계속 살아 줘, 제발!

마음은 몸의 주인이고 몸은 마음을 담는 그릇이야.
몸

주인이 바르면 그릇도 당연히 바르겠지?
몸
바른 길

그렇다고 저절로 바르게 될 거라 생각하지 말고 제대로 가고 있는 것인지 살피고 단속하는 것을 게을리해선 안 돼.
내비게이션
바른 길

사람의 몸은 타고난 천성대로 움직여지고 하늘의 법칙에 따르는 것이니 어려울 게 없어.
타고난 천성대로 움직이면 끝. 참, 쉽죠~잉.
천성

얼굴 표정과 보고 듣는 것, 언어와 거동을 하늘의 이치에 따르면 되는 거야.
하늘의 이치

사람들은 얼굴이나 겉모습은 잘 꾸미면서도

본심을 보존하려는 노력은 소홀히 해. 이건 도둑놈 심보와 같아.
난 돈 되는 것만 철저히 챙긴다고.

마음에서 우러나오는 것이 겉모습인데, 겉모습으로 속마음을 숨기려고 하면 되겠어?
절 뽑아 주신다면 국민 여러분을 왕으로 모시겠습니다!
속마음
10

욕심을 줄이고 주변에 흔들리지 않는다면,
욕심

외모와 상관없이 사람들은 '참 좋은 사람'이라고 여길 거야.
당신은 참 좋은 사람

때문에 마음을 바르게 하고 몸을 단속하라고 한 거야.
단속
몸
마음

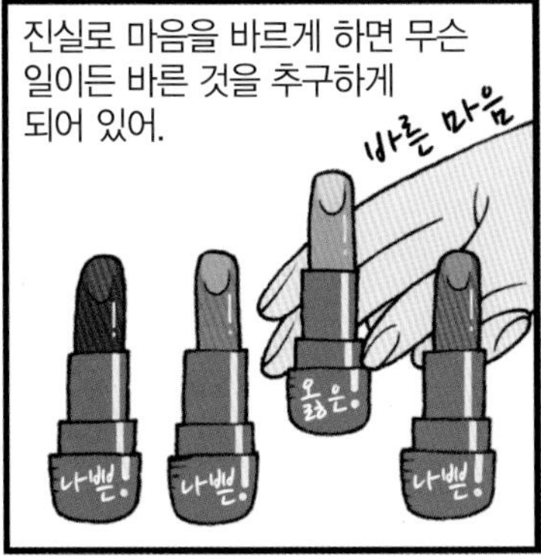
진실로 마음을 바르게 하면 무슨 일이든 바른 것을 추구하게 되어 있어.
바른 마음
옳은!
나쁜!
나쁜!
나쁜!

예쁘게 행동하려고 애쓰는 사람은 마음이 예쁘지 않을 수 있어도, 마음이 예뻐지려는 사람은 몸이 예쁘지 않을 수 없어.
따라오지 마.

명심해, 내 몸이 자꾸 예쁘지 않은 행동을 한다면 그것은 곧 내 마음이 예쁘지 않고 바르지 않기 때문이라는 것을!

7장

수기(修己) 편 –
회덕량(恢德量) · 보덕(輔德) · 돈독(敦篤)

회덕량(恢德量):
덕량을 넓혀라

앞장에서 수기(修己)의 차례에 대해 말했으니 이번 장에서는 수기의 마지막 단계인 덕을 쌓는 일에 대해서 알아보자.
덕

이이는 덕을 쌓는 일을 회덕량(恢德量, 덕의 역량을 넓힘), 보덕(輔德, 덕을 보충함), 돈독(敦篤, 덕을 두텁게 함), 이렇게 세 가지로 나누어 설명했어.
돈독
보 덕
회 덕 량

어른들이 '덕(德)을 쌓아라', '덕(德)이 있다, 없다'고 말하는 것을 들어 본 적 있을 거야.
덕이 있어요?
덕이 있다.
덕이 없다.
덕

덕이 있는 사람의 특성은 뭘까?
덕
특성

사람들은 어떤 사람을 덕이 있다고 말하는 걸까?

사람들은 흔히 마음이 너그럽고 여러 사람들이 존경하여 따르는 사람을 두고 덕이 많은 사람이라고 말해.
덕(Duck) 농장
덕이 많은 사람이군.

여기서 덕은 사람이 지켜야 할 도리나 행동 기준을 가리키는 말이야.
사람이 지켜야 할 도리와 행동 기준.
덕

덕은 유학에서 지향하는 성인(聖人) 또는 군자(君子)의 모습이 마음과 행동으로 나타나는 상태라고 할 수 있어.
마음
성인군자
행동
덕

사람의 도리인 도(道)를 이성적 사고를 통해 획득하고,
지갑

행동으로 실천할 때 얻는 인격의 총체! 이것이 바로 덕(德)이야.
경찰
POLICE

그래서 이이는 덕(德)에 관한 가르침을 몸과 마음을 다스리는 수신(修身)과 검신(檢身) 다음에 둔 거야.
수신
검신
덕

덕은 넓어야 하고 한쪽으로 치우치지 않아야 해.
덕

덕이 넓지 못하면 조그마한 것에 만족하게 되고,

한쪽으로 치우치면 높고 맑은 경지에 도달하지 못해.
높고 맑은 경지

그러므로 덕을 쌓아 넓히는 일은 매우 중요해.
덕
중요

어떻게 하면 덕(德)을 쌓을 수 있을까?
?
덕

지금부터 이이로부터 덕을 쌓고 넓히는 방법을 배워 보자.
덕

우선 겸손해야 해. 이에 대해 공자는 다음과 같은 말을 했어.
잘한 일이 있으면 다음 사람이 했다고 하고, 잘못된 일이 있으면 자신이 했다고 하라. 그러면 백성들이 다투지 않을 것이다. 군자는 자기가 잘한 것을 가지고 남을 힘들게 하지 않으며 남이 못한 것을 가지고 그 사람을 부끄럽게 하지 않는다.

또한 《서경》에는 다음과 같은 글이 있어.
서경
자기의 선(善)을 내세우면 그 선을 상실하게 되고, 그 능력을 자랑하면 그 공(功)을 상실한다.

오른손이 한 일을 왼손이 모르게 하라고 했듯이 자신의 선행을 결코 세상에 알리지 않는 사람이 있지?
너 왜 자꾸 실실거려?
내가?
불우이웃 돕기

그런 사람들은 스스로 덕을 쌓고 있는 것이라 할 수 있어.
덕

착한 일을 한 것을 내세우지 않으면 자신이 애쓰지 않아도 덕이 쌓이고,
쿵!
깜딱
덕
덕
덕

스스로 잘한 것을 자랑하면 다른 사람이 그것을 무너뜨리지 않아도 저절로 그 공이 무너지는 법이야.
자랑
생색

따라서 덕을 넓히려면 자신을 과신하거나 스스로 만족해선 안 돼.
덕

학문을 배우는 사람이 가장 경계할 것은 스스로 만족하는 마음이야.
학 문
만족

'군자는 땅과 같아야 한다'는 말이 있어.
땅

땅은 어머니처럼 세상 만물을 낳고 길러 주는 존재야.
만물

그 넓이와 깊이를 짐작할 수 없지.

그러니 땅의 두터운 모습을 본받아 마음으로 만물을 포용하는 덕을 넓혀야 하는 거야.
덕
덕
덕
덕

다른 사람과 논쟁을 할 때 상대방의 생각에는 귀기울이지 않고 자기만 옳다고 하는 건 덕이 좁아서 그런 거야.
밴댕이
그래서?
소갈딱지

사람의 덕이란 학식을 따라 자라기도 하지만 학식이 높아도 덕이 모자란 사람도 있어.
덕
학식
학식

이런 사람은 학문을 제대로 이루었다고 할 수 없어. 배우기만 했을 뿐 몸과 마음에 남아 있는 게 적은 거지.
학문
몸과 마음

다른 일은 몰라도 학식이나 도량은 억지로 넓힐 수 없어.
학식
도량

도량이 밥그릇만 한 사람, 사발만 한 사람, 항아리만 한 사람도 있어.
도
량

또는 강이나 호수 같은 도량을 가진 사람도 있어.
강 같은 도량
호수 같은 도량

하지만 생각해 봐. 아무리 도량이 강이나 호수 같다고 해도 한계는 있어. 강이나 호수에 물이 가득 차서 넘칠 때도 있지만,

마르고 줄어들 때도 있는 것처럼 말이야.
도
량

그러니 절대 자신의 학식과 도량을 믿고 자신이 언제나 무조건 잘하고 옳다고 생각하면 안 되는 거야.
거
만

마음이 크면 온갖 사물과 통하고,
사물

마음이 작으면 모든 사물을 병들게 할 수 있어.
빵!
빵!

그러니 배우는 사람일수록 수양을 통해 마음을 점점 더 넓혀야 해.
수양

그러기 위해서는 넓고, 두텁고, 포용력 있고 태연하며 광대한 기상을 가져야 해.
광대한 기상

덕이 좁은 사람은 남을 잘 용서하지 않아.
용서 NO
용서

덕이 좁고 막히면 그것만으로도 만 가지 병폐가 생기니 그러지 않도록 주의해야 해.
병폐
덕

사람을 공평하게 받아들일 줄 알아야 해.
공
평

누군가를 치우치게 좋아하지 말고,

누군가를 지나치게 미워하지 않아야 해.

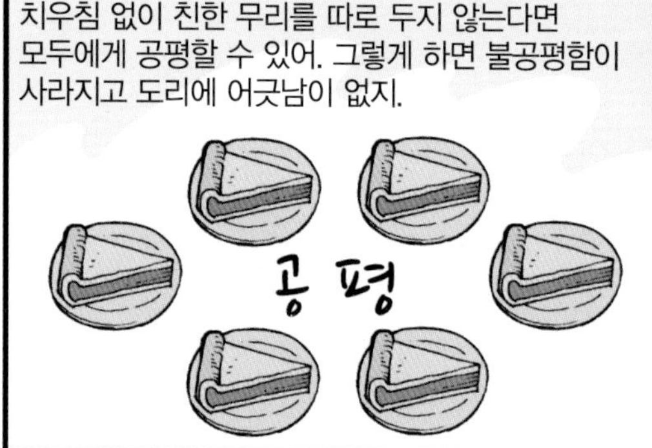

치우침 없이 친한 무리를 따로 두지 않는다면 모두에게 공평할 수 있어. 그렇게 하면 불공평함이 사라지고 도리에 어긋남이 없지.
공 평

이때 왕도가 바르게 선다고 《서경》에 적혀 있단다.
서경
無偏無黨 王道蕩蕩 無黨無偏 王道平平
무편무당 왕도탕탕 무당무편 왕도평평

사람들은 보통 넓고 평탄한 길보다 좁고 가파른 지름길을 좋아하지만 군자와 제왕은 반드시 넓고 평탄한 길을 가야 해. 공평하면 하나가 될 수 있지만 사사로운 마음을 먹으면 만 가지로 갈라지게 되는 법이거든.
제왕
군자
지름길

사람의 얼굴이 저마다 다르듯 마음이 다른 것은 사사로운 사심(私心) 때문이야.
사심
사심
사심

사사로운 마음이 생기지 않도록 안과 밖을 합치고, 나를 객관적으로 바라볼 수 있어야 해.
안
밖
공평

그러기 위해서는 마음을 텅 비워 털끝만큼의 개인적인 생각도 담지 말아야 해.
텅…

비로소 천하가 한 집안처럼 공평해지고, 모든 사람이 한 뜻으로 뭉칠 수 있도록 말이야.
천하
공
평
한집안
한뜻

이이는 덕이 넓지 못한 것은 대부분 기질의 병에서 비롯된다고 했어.
기운 없어….
허약 체질

그래서 덕을 넓히는 방법은 특별한 공부보다 기질을 바로잡는 것이 가장 중요하다고 했지.
체질 개선

맞는 말인 것 같아. 어떤 사람은 *천승을 얻고서도 겸손을 잃지 않는 사람이 있어.
만승(천자)
국가 최고 통치자
천승(제후)
권력자

* 천승(千乘): 천 개의 수레를 가리키는 말로, 중국 주나라 임금은 만승(萬乘)을, 제후는 천승을 지닐 수 있었다고 한다.

반면에 어떤 사람은 말단 관직에 있으면서도 스스로를 대단하게 여기기도 하지.
말단 관직
복날이군.
거만

도량이 작은 사람에게는 세 가지 나쁜 점이 있어. 첫째는 한쪽으로 치우치는 편벽(偏僻)함이고,
아첨

둘째는 스스로 만족해서 잘난 척하는 것이고,
잘난 척

셋째는 남을 이기는 것을 좋아하는 습성이야.
승부욕
남
남

이 모든 것들이 사사로움 때문에 생기는 거야.
넘보지 마.
욕질

본래 사람의 천성은 하늘을 그대로 담고 있어. 사람도 처음에는 하늘처럼 사사로움 없이 맑았지.

그러니 혹시 나쁜 마음으로 기울어졌다 하더라도
기우뚱

사사로움을 없애고 다시 천지 자연으로 돌아가면 하늘처럼 성인의 경지에 도달할 수 있어.
성인의 경지

끊임없이 힘을 써 편견을 갖지 않도록 노력한다면 평범한 사람도 성인(聖人)이 될 수 있어.
찰칵
성인

보덕(輔德):
사람을 통해서 자신의
덕을 보충하라

이미 덕을 넓혔으니 더 이상 노력하지 않아도 된다고 생각한다면 시간이 지날수록 한쪽으로 치우치게 될 가능성이 커.
덕

무엇보다 덕을 보존하려는 노력을 꾸준히 해야 해. 이때 절대적으로 필요한 것이 주변 사람이야.
주변 사람
덕

임금에서부터 평범한 노동자에 이르기까지 사람들은 모두 주변 친구의 영향을 많이 받아.

그래서 증자는 '친구를 통해서 자신의 인(仁)을 이룬다'라는 말을 했지.
인
친구

올바른 친구를 가까이 하고, 그 친구의 충고에 따라 자신의 허물을 고칠 수 있어야 해.
친구
충고
잘못

공자는 친구에 대해 다음과 같은 말을 했어.
'유익한 벗에는 정직한 친구와 믿음직한 친구, 그리고 견문이 많은 친구가 있다.
정직
믿음
견문
유
익
한

반면에 해로운 벗에는 편벽된 친구, 아첨을 잘 하는 친구, 그리고 말만 그럴싸한 친구가 있다.'
편벽
아첨
허풍
해
로
운

친구가 곧으면 잘못된 것을 가르쳐 주고,
친구
잘못

친구가 신실(信實, 믿음직하고 착실하다.) 하면 신실한 것을 따라하게 되며
친구
신실
신실

친구가 견문이 많아 아는 것이 많으면 지식 또한 더 밝아지는 법이야.
견문
지식
친구

반대로 한쪽으로 치우쳐 곧지 못하고,

잘 보이려 아첨하며
아 첨

말주변이 좋아서 모든 일을 입으로만 하는 친구는
물에 빠져도 입만 둥둥~

알맹이는 없고 껍데기만 번지르르한 친구라고 할 수 있을 거야.
빈 껍데기

친구의 모습은 곧 나의 모습이야. 나의 모습 또한 친구의 모습이지.

내가 유익한 친구가 되면 친구 또한 유익한 친구로 바뀔 수 있어.
유익한

친구가 유익한 친구로 바뀌기 전에 나에게는 친절하다는 이유만으로 가까이 하는 건 위험한 일이야.
캬 캬 캬
위험

친구가 반항적인 태도로 어른들이 하지 말라는 것을 해도
NO

나에게는 친절하니까 그냥 인정하고 이해한다면
거짓말
친절
친절
친절

자기자신도 곧 그 친구처럼 변할 지도 몰라. 또한 친구를 객관적으로 판단할 수 없게 될 거야.
친 구

잘 생각해 봐. 이미 자신이 변해서 주변 친구들의 잘못이 보이지 않는 상태는 아닌지 말이야.
안 과

보덕은 나라를 운영할 때 아주 중요한 요소 중 하나야.
보
덕

신하가 바르면 임금이 바르고,
임금
신하

신하가 아첨하면 임금은 자기가 성인이 된 줄로 착각하기 때문에 절대 성군이 될 수 없어.
딸랑
딸랑
아첨

임금의 덕은 오직 신하에게 달려 있다고 할 수 있지.
제 손 안에 있사옵니다.
신하

세상에서 가장 생명력이 강한 식물에게 하루는 따뜻한 햇볕을 주고,
1

열흘은 어둠과 거센 비바람을 맞게 하면 어떻게 될까?
1
2
3
4
5
6
7
8
9
10

자기 자신이 아무리 곧고 밝은 마음을 가지고 있다 하더라도 주변에 나쁜 사람이 많으면 이를 지키기 어려워.
덕
덕
덕

주위에 어둠과 비바람 같은 사람들이 많으면 어진 마음의 싹은 자랄 수 없어.
무서워서 못 나가겠어.
어진 마음

그러니 어려서부터 좋은 습관을 갖고 반드시 옳은 것만 보고 옳은 말만 들어야 해.
옳은 말
옳은 일
좋은 습관

그리고 전후좌우에 올바른 사람을 두는 것도 아주 중요해.
덕

그래서 가정교육이 잘된 사람은 덕이 있다고 말하는 거야.
가정 교육

덕이 있고 행실이 단정하다는 것은 어릴 때부터 덕이 있는 환경에서 컸다는 뜻이야. 덕을 배우고 덕이 지닌 좋은 향기를 전달받았다는 말이지.
가정 교육
덕

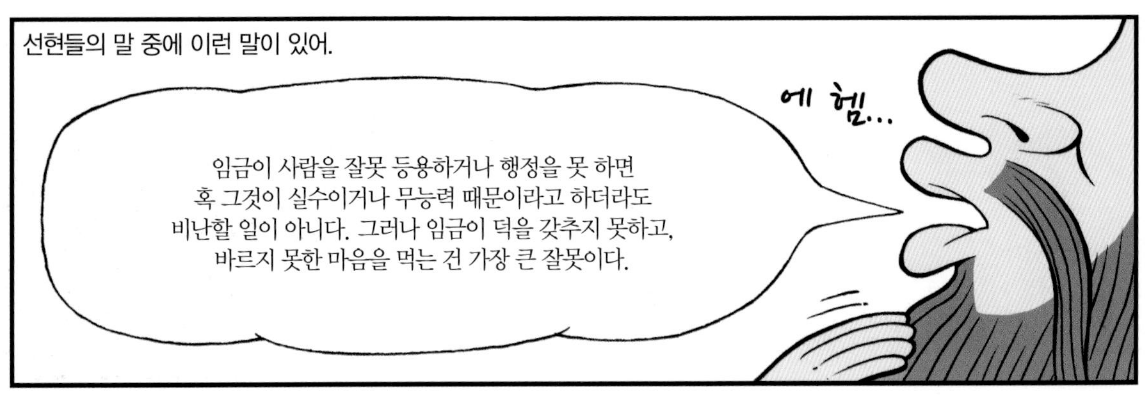
선현들의 말 중에 이런 말이 있어.
에 헴...
임금이 사람을 잘못 등용하거나 행정을 못 하면
혹 그것이 실수이거나 무능력 때문이라고 하더라도
비난할 일이 아니다. 그러나 임금이 덕을 갖추지 못하고,
바르지 못한 마음을 먹는 건 가장 큰 잘못이다.

이이는 세상이 제대로 돌아갈지 말지는 임금의 어진 마음에 달려 있다고 했어.

마음이 잘못되면 추진하는 모든 일에 해로움이 더해지기 마련이니까.
왜 그래?
콜록! 콜록!
해로움
추
진

이때 임금에게 '정책이 틀리다, 저 사람을 잘못 등용했다'라고 간언하기보다는
이게 다 멍청한 신하들 때문에 벌어진 일입니다. 저처럼 똑똑한 신하를 진즉에….

마음을 곧고 바르게 세울 수 있도록 충고하는 것이 훨씬 효과적이야.
금연

마음이 어지러운 사람에게 잘못한 일을 충고해 봤자 아무 의미가 없기 때문이지.
스트레스 받아.
뻐끔
뻐끔

마음이 바로 서지 않은 상태에서 행동을 고칠 리가 없잖아.

그러니 겉으로 드러난 행동에 대해서는 아무 말 하지 말고,

마음을 곧고 바르게 세울 수 있는 방법을 찾아서 권유하는 것이 현명해. 하지만 결코 쉬운 일은 아닐 거야.
금연
권
유
작심
삼일

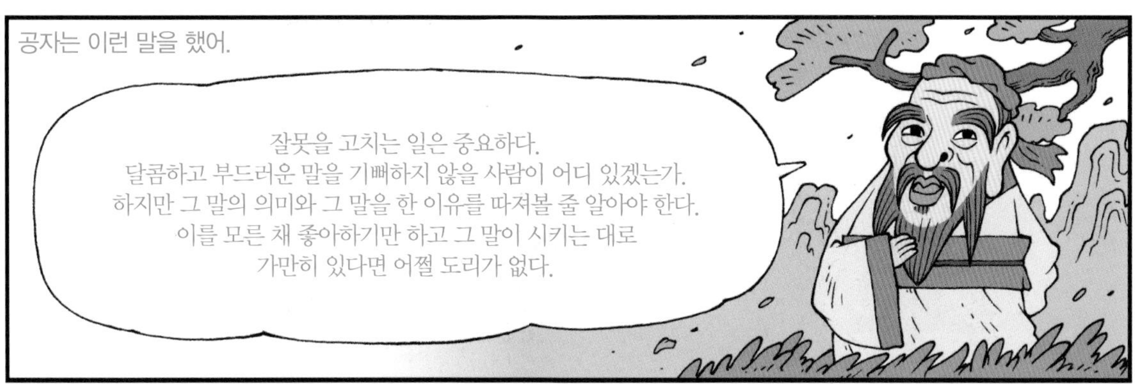
공자는 이런 말을 했어.
잘못을 고치는 일은 중요하다.
달콤하고 부드러운 말을 기뻐하지 않을 사람이 어디 있겠는가.
하지만 그 말의 의미와 그 말을 한 이유를 따져볼 줄 알아야 한다.
이를 모른 채 좋아하기만 하고 그 말이 시키는 대로
가만히 있다면 어쩔 도리가 없다.

달콤하게 속삭이듯 칭찬하는 말은 내 뜻을 거스르는 게 아니기 때문에 기분 좋게 들리는 게 당연해.
달콤한 말

하지만 칭찬과 아부를 들었을 때는 반드시 그 말의 뜻을 잘 헤아려 '저 말을 왜 했을까?'라고 생각해야 해.
칭찬
아부
킁
킁

그렇지 않으면 그 말의 숨은 뜻을 알 수 없어.
아부
숨은뜻

친구로부터 바른 말을 들었다면 고치려고 노력해야 해.
바른 말

바른 말은 사람들이 공경하고 두려워하는 법이니 반드시 따라야 해.
바른말

간혹 바른 말을 듣고도 잘못을 고치지 못하고 겉으로 흉내만 내는 경우도 있어.

처음에는 알아듣는 듯 귀기울이는 척하다가
끄덕 끄덕
바른 말
잘못

결국 안 고치는 경우도 있지.
잘못

그래서 공자는 다음과 같은 말로 경고했어.
허물이 있는데도
고치지 않는 것,
이것이
진정한 허물이다.
경고
잘못

돈독(敦篤):
처음과 끝을
돈독하게 하라

이이는 사람들이 자기 수양을 할 때 중간에 그만둘까 봐 걱정을 많이 했어.
자기 수양

그래서 이이는 《시경》에 나오는 말을 인용해 '돈독(敦篤, 두텁고 성실하다)'을 강조했어.
누구나 시작은 있으나 끝을 보는 사람은 드물다.
돈독
시경

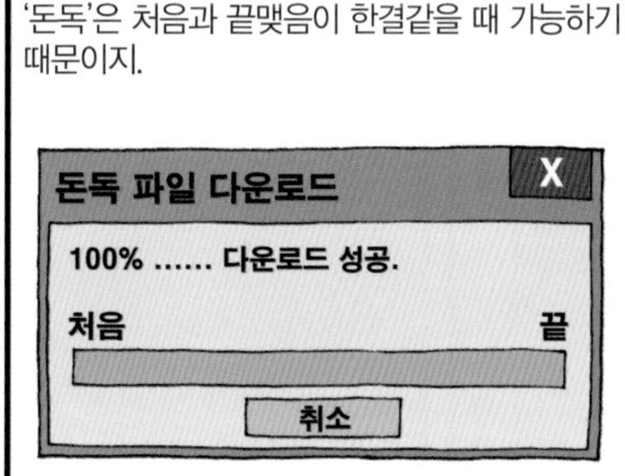
'돈독'은 처음과 끝맺음이 한결같을 때 가능하기 때문이지.
돈독 파일 다운로드
X
100% ...... 다운로드 성공.
처음
끝
취소

《논어》를 보면 이런 말이 나와.
나와라.
논어
선비는 넓고 굳세야 한다.
선비의 책임은 무겁고
갈 길은 멀다.

넓지 않으면 무거운 책임감을 감당할 수 없고, 굳세지 않으면 멀리까지 갈 수 없어.
책임감

선비들은 인(仁)을 이루어 다른 사람들에게 본보기가 되어야 하니까 그 책임이 보통 크고 무거운 게 아니야.
본보기
인
책임감

선비는 죽을 때까지 그 책임을 다해야 해.
책임감

선비는 잠시라도 게으름을 피울 새가 없겠지? 그래서 이이는 덕을 새롭게 하기 위해서는 한결같이 부지런해야 한다고 말했던 거야.

덕

처음부터 끝까지 중간에 끊어지지 않고 부지런히 노력한다면 그 선비의 덕은 날로 발전하고 새로워질 거야.
발전
안전
덕
노력

분명히 자기 전에 깨끗이 씻고 잤는데
푸~

아침에 일어나서 보면 눈에는 눈곱이 끼어 있고,
하아함
눈곱

얼굴에는 기름이 좔좔 흐르는 것을 경험한 적이 있을 거야.
개
기름

또 고운 옷을 입고 외출하고 왔는데 어디서 묻었는지 알 수 없는 먼지들이 묻어 있는 것을 본 적이 있을 거야.

이럴 때는 거울을 보고 얼굴에 묻은 때를 씻고,
푸―.

옷에 묻은 먼지를 털어 내야겠지?

마음도 마찬가지야.

다만 마음은 눈에 보이지 않아서 많은 사람들이 먼지가 쌓이고 더러워지는 것을 잘 모를 뿐이야.

그래서 씻을 줄도 모르고 털어 내지도 못하는 거지.
물이다!
속
겉

겉은 살피면서 속은 내버려 두는 것, 이건 옳은 일이 아니야.
촤 학~
겉
겉
속

*본말전도(本末顚倒)된 것이라고 볼 수 있지.
내가 처음 아니었어?
글쎄?

그래서 이이는 항상 마음을 닦고 씻어 매일 새로워지라고 말한 거야.

* 본말전도(本末顚倒): 중요한 것과 중요하지 않은 것의 순서가 잘못되거나 뒤바뀐 상태.

사람이 돈독해지기 위해서는 절대로 중도에 포기해선 안 돼.
ZZZ
돈독

맹자가 이런 말을 했어.
*오곡(五穀)은 씨앗 가운데서 가장 좋은 것이다. 하지만 잘 익을 때까지 기다리지 않으면 밭에 난 강아지풀만도 못하다.
JIN

* 오곡(五穀): 다섯 가지 중요한 곡식 – 쌀, 보리, 콩, 조, 기장

아무리 좋은 것이라도 끈기와 인내심을 가지고 결실을 이룰 때까지 노력하지 않으면 소용없다는 것을 강조한 말이야.
결실
누가 이기나 끝까지 해보자.

공자는 이런 말을 했지.
싹은 자랐어도 꽃이 피지 않는 것이 있고, 꽃이 피어도 열매를 맺지 못하는 것이 있다. 배우고 성취하는 데 이르지 못하는 것이 다 이런 경우다.
JIN

공부가 무르익으면 사람들은 그 성과를 미리 예상하고 기대하게 돼.
성과
성과
성과
성과
공부
기 대

그런데 자기가 기대한 만큼의 성과가 없으면 중간에 포기하기 쉬워.
나 안 해!
성과
기대

어리석은 사람들은 자기가 이만큼 했으니까 이 정도 결과를 얻을 것이라고 미리 짐작해.
결과
짐 작

그러다가 자기 생각만큼 결과가 좋지 않으면 더 이상 노력하기를 그만두고, 싫증을 내며 게으름을 피우는 거야.
쾅!
싫증
게으름
포기
결과
현실

이것이 바로 배우는 사람들이 가장 경계해야 할 학문의 자세야.
요놈들~!
싫증
포 기
게으름

목적지가 멀리 있으면 아무리 마음이 급해도 한 걸음에 갈 수 없어.

목적지를 향해 매일 조금씩 걷다 보면 언젠가는 도달할 수 있어.

목적지
천 리 길도
한 걸음부터.

옛 성현들은 길을 잃지 않고 부지런히 그 길을 따라가면 아무리 먼 길이라도 도달하지 못할 일이 없고, 아무리 높은 곳이라도 오르지 못할 일이 없다고 했어.

목적지를 향해 끝까지 가겠다는 신념이 있어야 해.

목적지
z z z

이런 신념은 공부를 할 때 꼭 필요해.

열공
공부

공부의 어려움과 쉬움을 따지지 말고 꾸준히 해야 해. 처음에는 공부의 맛이 소박하게 느껴질 거야.

……
오물 오물
공부

하지만 점점 공부가 깊어지면 최고급 식당에서 먹는 음식의 맛 못지 않게 되지!

Wow!
최고급 식당에서
먹는 음식 맛보다
좋은걸.
공부

그 맛을 느껴 보고 싶은 사람은 천천히, 꾸준히 공부해야 해.

지글 지글
공부

그렇게 꾸준히 공부를 하다 보면 새로운 지혜를 하나씩 배우는 과정에서 세상 그 어떤 것보다 더 맛있는 공부의 맛을 알게 될 거야.

지혜
공부

그 이후에는 공부를 그만두고 싶어도 그만둘 수 없게 될 거야.

공부

지금 이 책을 읽고 있는 여러분이 이런 맛을 느껴 봤으면 좋겠어.

오물
오물
공부

8장

정가(正家) 편 – 효경(孝敬) · 형내(刑內) · 교자(敎子)

가정의 법도

우리는 태어나면서부터 부모님과 형제자매 사이에 둘러싸여 지내기 때문에 가정의 소중함을 잘 몰라.

가정
모른
척

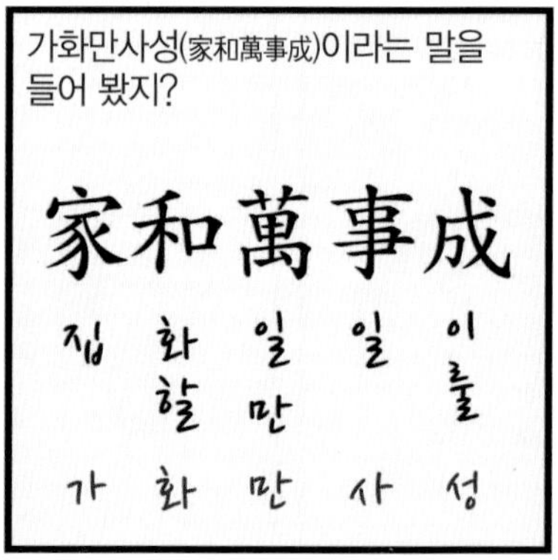

가화만사성(家和萬事成)이라는 말을 들어 봤지?

家和萬事成

집 화할 일 만 일 이룰

가 화 만 사 성

가정이 평화로워야 모든 일이 잘 이루어진다는 말이야.

가정
평화
모든 일들

가정이 화목한 사람은 얼굴에서 빛이 난다고 해.

빛
깜놀
화목한 가정

마음의 평화로움이 사회에 나가 일을 할 때 큰 응원이 되기 때문이야.

응원
가정
화
목
파이팅

그렇다면 어떻게 해야 가정의 평화를 지킬 수 있을까? 지금부터 이이가 가르쳐 준 가정을 바르게 하기 위해 지켜야 할 일에 대해 알아보자.

화
목
가정

자기 집안 형편을 다른 집 형편과 비교하는 것은 좋은 일이 아니야.

우리 집
남의 집
비교

부모님의 이런 태도는 좋고, 자식의 저런 태도는 나쁘고 하는 등의 판단을 하기보다

자기 수양에 힘써서 자신의 도리를 다하는 것이 더 중요하지. 그래야 집안을 제대로 잘 세울 수 있어.

집안의 질서
자신의 도리
자기 수양

천하를 다스리는 근본은 자기 자신을 철저히 하는 것에서 비롯되고,

자기 관리
천하

천하를 다스리는 법도를 지키는 것은 집안을 다스리는 것에서부터 시작되기 때문이야.

커브 · 슬라이더
집안
천하
코치

근본을 철저히 하려면 단정한 태도로 정성을 다하는 마음을 갖고,

정
성
근본

가정의 법도를 선(善)하게 해야 해.

선
가정
(善)
가정의 법도

《주역》에 이런 말이 있어.

아버지가 아버지답고, 자식이 자식답고,
형이 형답고, 아우가 아우답고,
아내가 아내다우면 그것으로
온 집안이 잘 다스려지는 법이다.
주역
가정의 법도

또한 《대학》에는 이런 말도 나와.

말 나와.
이 히 힝~
대학
자기 집안을 다스리지
못하면서 남을 가르칠 수 있는
사람은 없다. 그러므로 군자는
집을 나가지 않고도 나라에
가르침을 준다.

효경(孝敬):
효도하고 공경하라

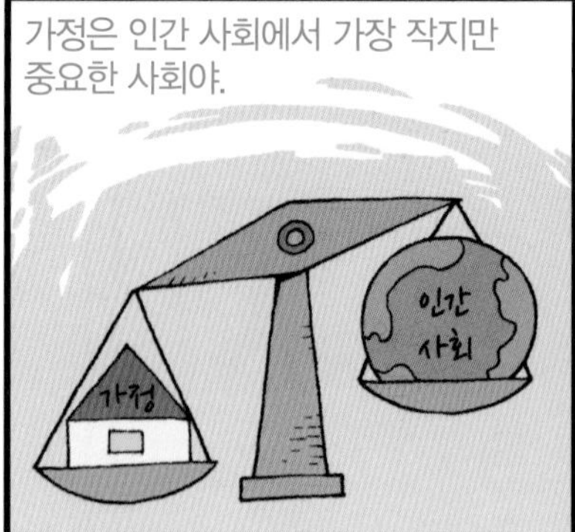
가정은 인간 사회에서 가장 작지만
중요한 사회야.
인간 사회
가정

또한 인간이 태어나면서 가장 처음 만나는
사회이기도 해.
아빠
가정
엄마

따라서 앞으로 만날 수많은 사회의 가장
완벽한 축소판이라고 할 수 있어.
인간 사회
가정

가정에서 지켜야 할 도리 중
으뜸은 효도야.
효도
가정

집안을 바르게 하기 위해
가장 우선으로 삼아야 하는 것은
'효도와 공경'이야.
가정
효도
공경

공자는 효도에 대해 이런 말을 했어.
사람의 모든 신체는 부모님에게서 물려받은 것이다.
자신의 신체를 훼손시키지 않는 것이 효도의 시작이다.
벼슬길에 나아가 세상에 그 명성을 날려서
부모님의 이름을 드러나게 하는 것이 효도의 마지막이다.

왜 부모님에게 효도해야 할까?

부모님을 사랑하는 사람은 결코 다른 사람을 미워하지 않고, 부모님을 공경하는 사람은 절대 타인을 업신여기지 않기 때문이야.

존 중

사랑과 공경을 다하여 어버이를
섬긴다면, 그 덕과 가르침이 멀리 퍼져
온 세상의 모범이 될 거야.
세 효 상

살아 계실 때
섬기는 도리

제자들이 공자에게 효가 무엇이냐고 물었어.
효란 무엇입니까?

그러자 공자는 이렇게 대답했어.
효는 어기지 않는 것이다.

공자는 효의 기준을 예(禮)라고 가르치며 다음과 같은 말을 했어.
살아 계실 때 예로 섬기고, 돌아가셔서 장사 지낼 때에는 예로 모시며, 제사 지낼 때에도 예를 갖춰야 한다.

부모님이 원하는 것을 다 해 드리려면 끝이 없겠지? 그건 예도 아니고 효도 아니야.
부모님이 원하는 것

부모님을 웃게 만들려고 노력하기보다는 예를 지키려고 노력하는 것이 낫다는 말이야.
예

'예(禮)'란 이치와 절도에 맞게 행하는 것을 말해.
예
이치
절도

효라는 것도 이치에 어긋나지 않으면 그것으로 충분한 거야.
효
정확히 착지.
이치

또한 효를 행할 때 자신의 한계를 알고 분수를 지켜야 해.
효
효
효

할 수 있으면서 하지 않는 것도 불효이고,
경고.
불효
효

할 수 없는데 억지로 하는 것도 불효야.
퇴장.
불효
효

이이는 겉으로 예를 표현하기 위해 자신의 분수에 맞지 않는 사치와 낭비를 하는 것은 불효라고 했어.
사치
예
낭비

《예기》에 자식된 자의 예(禮)는 다음과 같아야 한다고 적혀 있어.
예기
자식된 자의 예(禮)

겨울에는 따뜻하게 해 드리고,
보일러

여름에는 시원하게 해 드리며,
에어컨

저녁에는 잠자리를 준비해 드리고,

새벽에는 문안을 드린다.
밤새 안녕히 주무셨습니까?

밖에 나갈 때는 반드시 말씀드리고,
나갔다 오겠습니다.

돌아오면 반드시 뵙는다.
다녀왔습니다.

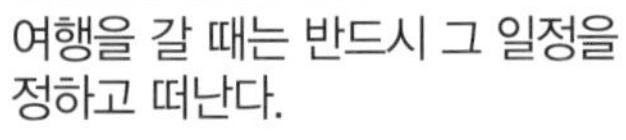
여행을 갈 때는 반드시 그 일정을 정하고 떠난다.

여행 일정표

공부할 때는 한눈을 팔지 말고,
공부

평소 부모님께 말할 때 자신을 가리켜 '늙었다'라는 표현을 사용하지 않는다.

부모님을 물질로 봉양한다면 그것은 부모님의 몸만 봉양하는 거야.

부모님의 몸
봉
양

마음을 다해 정성으로 봉양한다면 부모님의 뜻을 온전히 위할 수 있어.

부모님의 뜻
봉양
정성

정성을 다해 부모님을 봉양하는 사람은 표정부터가 달라.

봉
양

부모님을 깊이 사랑하는 마음이 있는 효자는 반드시 얼굴에 온화한 기운이 감돌아.

온화한 기운이 있는 자는 얼굴에 기뻐하는 기색이 있으며,

기뻐하는 기색이 있는 사람은 언제나 상냥해.

부모님 앞에서 엄숙하고 위엄 있는 표정으로 근엄하게 지내는 건 부모님을 섬기는 도리가 아니야.

자식이지만
불편하네.

그렇다고 무조건 부모님 앞에서 웃으면서 '네~, 네~.' 하며 복종하라는 건 아니야.

무조건 복종!
부모님
복
종

공자는 이렇게 말했어.

부모님에게 말할 때는 은근히 *간(諫)해야 한다.
간(諫)했는데도 부모님이 따르지 않는다면
더욱 공경하여 그 뜻을 어기지 아니하고
여러 번 간하는 수고를 하고,
그 후 원망하면 안 된다.

* 간(諫)하다: 웃어른이나 임금에게 옳지 못하거나 잘못된 일을 고치도록 말하다.

부모님도 인간인데 어찌 잘못이 없겠어?
끼익
끽!

부모님의 잘못을 봤다면 못 본 척하거나 무조건 두둔하지 말고,
아는 분이슈?
아뇨.
빠방! 빠방!

흥분을 가라앉히고 안색을 부드럽게 해서 부드러운 음성으로 잘못된 부분을 말씀드려야 해.

만약에 부모님이 그것을 받아들이지 않는다면 더욱 공경하는 마음으로, 부모님이 기분 좋을 때를 골라서 말해야 해.

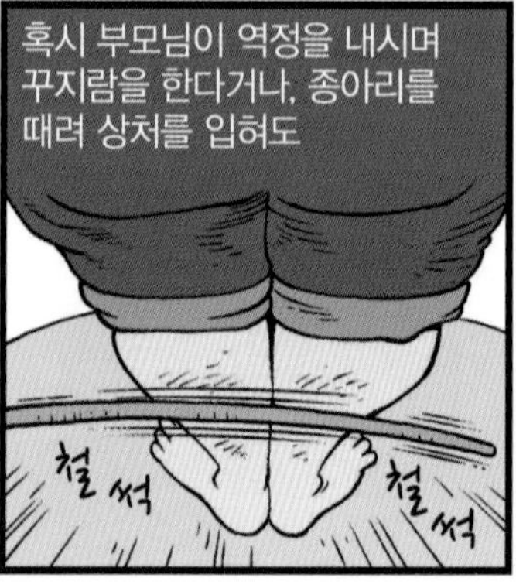
혹시 부모님이 역정을 내시며 꾸지람을 한다거나, 종아리를 때려 상처를 입혀도
철썩
철썩

원망하는 마음을 품지 말고 계속 말씀드려야 해.
아셨죠, 어머니?
다음부터 안 그러마.
음 음

상례
돌아가실 때 섬기는 도리

부모님이 살아 계실 때 정성을 다하지 못한 사람은 돌아가신 후에 후회하는 마음이 깊어.
살아 생전에 효도할걸.
흑 흑

그런 사람일수록 장례를 화려하게 지내려고 하지.
50000
50000

하지만 장례를 지낼 때 물질 중심의 형식에 치우쳐서는 안 돼.
장례
물
질

마음을 다해 정성을 다하는 것에 더욱 큰 의미를 둬야 해.
정
성

부모님이 돌아가신 후 묏자리를 정할 때 천하의 명당을 찾아 이리저리 헤매는 사람들이 많아. 하지만 이 또한 효가 아니야.
묏자리를 잘 써야 자손들이 잘된다고.
명당 자리

돌아가신 부모님을 모실 묏자리가 좋은지 아닌지는 흙의 빛깔이 윤택한지, 초목이 무성한지를 살피면 알 수 있어.

그런데 묘의 위치를 지나치게 따져 방위(方位)를 보거나,
북
북서
북동
서
동
남서
남동
남

길흉(吉凶)을 따져 좋은 날을 골라 장례를 치르려고 하는 것은 옳지 않아.
길
흉

그 모든 것은 부모님이나 조상을 받들기 위함이 아니라,
조상

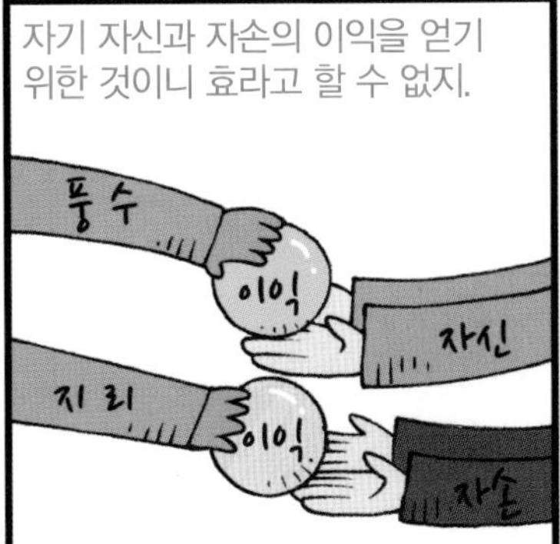
자기 자신과 자손의 이익을 얻기 위한 것이니 효라고 할 수 없지.
풍수
이익
자신
지리
이익
자손

부모님이 세상을 떠났다는 소식을 접하면 마음과 속이 꽉 막힌 것처럼 힘들 거야.

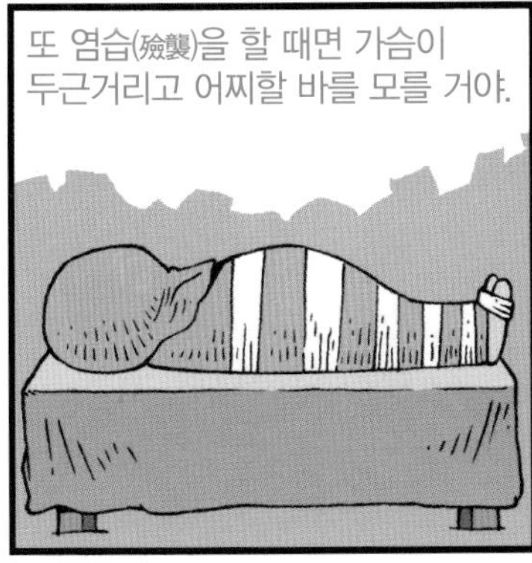
또 염습(殮襲)을 할 때면 가슴이 두근거리고 어찌할 바를 모를 거야.

장사를 다 지내고 나면 탄식이 터져 나오고 허전함이 밀려오지.
텅...

*상례(喪禮)를 치를 때에는 예를 갖추려고 하는 것보다 슬픔을 충분히 표현하는 것이 더 중요해.
아이고~
아이고

* 상례(喪禮): 조상이 돌아가실 때 치르는 의례.

실수로 예법에서 한두 가지를 빼먹었다고 해서 흠이 되지 않아.
예
법

슬픔과 경건함이 빠지는 게 더 큰 일이지.
슬픔
경건함

마음에서 우러나지 않는 것을 재물로 메우려고 해서도 안 돼.
₩

공자가 말하길 '부모님은 오직 자식이 병드는 것만을 염려한다'고 했어.

효도로 몸을 지킨다

부모님은 자식을 사랑하는 마음이 지극하여 항상 자식이 아프지 않을까, 힘들지 않을까, 근심해.
놀다 올게요.
다치지 않게 조심해.

자식이 이런 부모님의 마음을 깨닫고 스스로 몸을 조심한다면 이것만으로도 효를 실천하는 거야.
다녀왔습니다.
다친 데는 없고?

이불 속에 가만히 누워 있어도, 몸 성히 건강한 마음과 신체를 지켜 낸다면 그 자체가 이미 효라는 말이지.
부모님께 효도해야겠다.
또 자? 공부 좀 해.
싫어요. 효도할 거예요.

맹자는 이런 말을 했어.
하늘이 우리에게 내어 준 마음을 보존하고 그 성품을 기르는 것이 곧 하늘을 섬기는 것이다.
마음
칙
칙
보존

하늘을 섬기듯 부모님을 섬기면 돼. 우리에게 몸과 마음을 준 부모님은 하늘과 같은 존재거든.

형내(刑內): 아내를 바르게 하라

부모님께 효도를 한 이후에는 아내를 살펴야 해.
샥

여인은 집안의 평화를 결정하는 존재야.
가정의 평화가 이 손 안에 달렸소이다.
가정
평화&불화

그래서 어떤 성품의 여인과 결혼하느냐는 매우 중요한 일이야.
?

집안을 잘 다스리려면 먼저 아내를 바르게 해야 한다는 말이 있단다.
아내
가정

예를 들면 《시경》에 이런 말이 나와.
시경
아내에게 본보기가 되어 형제에게 이르게 하고, 그것으로써 집안과 나라를 다스린다.

여자가 바르면 집안의 도리가 바르게 서는 법이야.

텔레비전 광고에서 한때 유행했던 '남자는 여자하기 나름이에요'라는 말처럼

남자는
여자하기
나름이에요.

남자는 여자가 뭘 하라고 말해 주면 그대로 따르는 경우가 많아.

그래서 주자는 '아내를 바르게 해야 하는 이유는 아내가 바르면 남편도 바르게 되기 때문이다'라고 한 거야.

바른 길

아내와 남편은 안과 밖 같은 존재야.

잘 굴러간다.
아내
남편

아내를 바르게 한다는 말은 결국 남편을 바르게 한다는 말과 같은 말이지.

안
밖
바른 길

어떤 여인이 훌륭한 아내일까?

'요조숙녀(窈窕淑女)'라는 말을 들어 본 적 있지? 《시경》에 이런 구절이 나와.

나의 짝은 어디에 있을까?
시경
요조숙녀는 군자의 짝이로다.

'요조'는 얌전하고 정숙하다는 뜻이야.

정
숙

감정이 겉으로 잘 드러나지 않고, 행동이 해롭지 않은 것을 말하지.

정숙한 내가 참고 말자.
딸꾹

《시경》에서 아내의 정숙함을 말한 것은 군자의 아내, 즉 왕비의 덕성에 대해 말한 거야.

덕성

한 나라를 다스리는 왕의 짝은 절대적으로 '정숙함'이 필요해.

정숙
함

옛 사람들은 정숙함이 기강을 바로 잡는 데 으뜸이며,
손이 점점 내려가는 게 느껴집니다.
그럴 리가요?
정숙함
기강

임금이 세상을 공평하게 다스리게 만드는 시작이라고 생각했어.
첫 단추를 잘 끼우자.
정숙함
공
평

그러니 얌전하고 정숙한 왕비를 간택하는 것은 나라를 다스리는 시작이라고 할 수 있어.
출발점
영차!
영차!

왕비는 온 나라의 어머니 역할을 해야 하므로 문벌과 조상, 가풍, 여러 행적들을 살피고 고려해 골라야 했지.
심층 조사

왜 여자들에게만 이렇게 까다롭냐고? 그건 남자를 좌지우지할 수 있는 힘이 여자에게 있기 때문이야.

옛날 어떤 나라에 왕이 총애하는 궁녀가 있었어. 그녀의 권세가 어찌나 컸던지 임금의 가마를 타고 다닐 정도였지.
총애
옛날 어떤 나라 왕
궁녀

왕은 국사를 돌보지 않고 그녀가 원하면 언제든지 가서 그녀의 비위를 맞추기 바빴단다.
왕
궁녀

그런데 그 궁녀에게는 한 가지 문제가 있었어. 잘 웃지 않는다는 거야.
궁녀

왕은 매일 기녀와 광대들에게 춤을 추게 하는 등 그녀를 웃게 하려고 백방으로 노력했어.
왕
궁녀
광대
기녀

그러던 어느 날 외적의 침입을 경계하기 위해 군대 소집 훈련을 하려고 봉화를 올렸는데,
봉화

허둥지둥 바쁘게 움직이는 신하들과 군사들을 보면서 그녀가 깔깔 웃지 뭐야?
허둥 지둥
까르르르~
왕
신하
군사
군사
군사
신하

그러자 왕은 그녀를 기쁘게 해 주려고 외적의 침입이 없는데도 번번이 봉화를 올렸어.
신하
군사
군사
왕
궁녀

이런 일이 반복되자 백성들은 왕을 비웃기 시작했어.
비 웃 음
백 성 들
왕

그를 섬기던 신하들의 불만도 점점 커져갔지.
왕
신하
신하

그리고 결국 외적이 침입해 왕과 궁녀를 잡아가고 말았단다.
실성했나?
까르르르
왕
궁녀
외적

동서양의 역사를 살펴보면 위 이야기처럼 한 여자의 마음을 얻고자 애썼던 왕이 나랏일을 그르치는 일이 많았어.
클레오파트라
양귀비

왕이 개인적으로 총애하는 여인이 있으면 그녀의 말만 듣기 때문에 제대로 정치를 할 수 없는 거지.
그
녀
말
왕
나랏일

이런 이야기들은 모두 여인이 가지고 있는 막강한 힘을 경계해야 함을 강조하고 있어.
POWER
P
GIRL

절세미인을 가리켜 경국지색(傾國之色)이라고 하는데, 나라를 휘청하게 만들 수 있는 미모의 여인이라는 뜻이야.
휘청
나라
경국지색

한 나라의 왕도 아니고, 외적도 아닌 한 여인이 나라를 일으키기도 하고 망하게도 할 수 있다는 말이지.
좌 지 우 지
나라

특히 얼굴도 예쁘고 마음도 예쁜 여자가 옆에서 무언가를 부탁한다고 생각해 봐.

웬만한 남자들은 하늘에 있는 별도 달도 다 따다 주고 싶어 할걸.
누가 먼저 따 갔어?

그래서 옛 사람들은 아내를 고를 때 얼굴의 어여쁨만을 봐서는 안 되고 요조숙녀, 즉 정숙한 여인을 골라야 한다고 가르치는 거야.
맞선
아, 네.
전 이름도 요조예요.
벌컥 벌컥
째깍
째깍

아내를 바르게 하라는 것은 결국 자기 자신을 바르게 수양하라는 뜻과 같은 말이야.

존중

자기 수양에는 게으르면서 아내에게만 정숙하고 바르게 행동하라고 요구하는 것은 안 될 일이야.

당신이나 잘해!
잘하면 콧구멍까지 들어오겠네?

아무리 부부 사이라도 지나치게 애정 어린 행동을 하거나

집에 가서 하든가.
알라븅~.
부
부

편하다고 아무 말이나 막 해서는 안 돼.

부부니까.
막
말

남들 보기에도 좋지 않을 뿐더러 어느 순간 서로에 대한 예의를 잃어버려 갈등을 키울 수 있어.

남편이 우스워 보여?
사돈 남말 하고 있네.

부부 사이에도 공경하는 마음을 갖고 서로를 깍듯이 대해야 해.

다녀왔습니다, 부인.
오늘도 고생하셨습니다, 서방님.
공
경

남자는 집 안과 밖 어디서든 한결같이 여자를 대해야 해.

집
한결
같은

집안에서는 아내에게 체통을 지키는 사람이 밖에 나가서는 여자들을 함부로 대하는 경우가 있어.

체통
욕정
집

이럴 경우 가장의 권위는 물론, 가정도 인생도 잃어버릴 수 있으니 아주 조심해야 해.

권위
가정
인생

실제로 여색을 즐기면서 덕을 쌓을 수는 없어.

여색
도

오직 도를 지키고 천하를 올바르게 다스리는 것을 목표로 한다면 그 뜻을 선하게 가져야 해.

천하
도
선
목표

그러려면 여색과 물욕에 물들지 않아야 해. 그것이 곧 자신을 다스리고 집안을 바르게 하는 첩경이야.

첩경
(지름길)
₩

Teach
교자(敎子):
자식을 바르게
가르쳐라

여러분은 부모님의 훈계를 잔소리라 여기며 듣기 싫어할 거야.

잔소리 잔소리 잔소리 잔소
훈계

하지만 자식을 훈계하는 것은 부모의 의무란다.

부모의 의무를 다할 것을 굳게 맹세합니다.
안 해도 되는데.
훈계
자식

자식을 바르게 잘 키우는 것이 부모님의 사명이자 도리거든.

부모의 사명
바르게 잘 자라거라.
자식

잔소리는 여러분들이 뱃속에 있을 때부터 시작했던 일이라고 생각하면 돼. 뱃속에 있을 때부터 이미 가르침은 시작되었거든. 이런 것을 태교라고 하잖아?

태교

옛 어른들은 이렇게 가르쳤어. 여인이 임신을 하면 옆으로 누워서 자지 않고,

Z Z Z

비스듬히 앉지 않으며,

한 발로 서지 않고,

이상한 맛이 나는 음식을 먹지 않고,

날음식

썬 모양이 반듯하지 않으면 먹지 않으며

자리가 바르지 않으면 앉지 말라고 했어.

이렇게 정성을 다한 후에 자식을 낳아야 자식의 몸과 용모가 단정하고 재주가 남보다 뛰어나다고 했어.

용모 단정
천재

또 옛 어른들은 자식을 낳으면
이렇게 가르치라고 했어.
밥을 먹을 때가 되면 오른손으로
밥을 먹게 하고,
우(右)

말을 할 때가 되면 빠르고
공손하게 대답하는 것을
가르치고,
예.
공손

여섯 살이 되면 숫자와 방위를 가르쳐야
한다.
6
북
서
동
남
1 2 3
4 5 6 7

아홉 살이 되면 날짜 세는 법을
가르치고,
9
日 月 火 水 木 金 土
초하루,
초이틀, 초사흘,
초나흘, 초닷새,
초엿새….

열 살이 되면 어머니 품을 떠나
바깥에 있는 스승에게 보내서
사랑방에 거처하며 글씨와 셈을
가르쳐야 한다.
10
훈민정음

열세 살이 되면 음악을 배우고, 시를
외우고, 춤을 배우게 한다.
13
시 詩

열다섯 살이 되면 활쏘기와 말 타는
것을 배우게 하고,
15

스무 살이 되면 관례(冠禮)를 행하며
예를 배우고 효도와 우애를 실천하도록
가르친다.
20
예
효
우애
관례

이때 널리 배우되 남을
가르치지는 말아야 한다.
博學不敎
박 학 불 교
內而不出
내 이 불 출
널리 배우고 연구하지만
연구한 것을 곧 남에게
가르치지는 마라. 더욱
깊이 연구하여 마음 속에
간직해 두어야 한다.

서른이 되면 아내를 얻어 남자가
해야 할 일을 하게 하고,
30

스승을 널리 두어 학문을 두루
익히고 좋은 친구를 사귀어서
그 뜻을 살피도록 가르친다.
좋은 친구
스승
학문

마흔이 되면 벼슬을 해서 하는 일에
지혜를 모으고, 사려를 발휘하도록
한다.
40
사려
지
혜
발휘

도에 맞으면 복종하고,
도
복종

맞지 않으면 그만두고 떠나도록 가르친다.
도

쉰 살이 되면 임금의 명을 받아 대부(大夫)가 되어 나라의 중요한 일을 맡아 돌보도록 한다.
50
대부
벼슬
나라의 중요한 일

그리고 일흔이 되면 벼슬에서 스스로 물러나도록 가르친다.
70
벼슬

이 글을 보면 태어난 후부터 일흔 살까지 오로지 배워야 한다는 말밖에 없지?
평생교육

옛날에도 부모님들이 자식을 잘 가르치기 위해 얼마나 열성을 다했는지 알 수 있어.
어머니는 왜 안 드세요?
좀 전에 먹었단다.
교육
꼬르륵

그런데 이이는 이런 가르침을 일일이 다 설명하고 말해 주기보다는 자식이 스스로 그 길을 열도록 조용히 이끌어 주고,

본래 가지고 있던 착한 성품을 길러 주는 것이 더 중요하다고 당부했어.
착한성품

옛말에 훌륭한 부모님은 자신의 행동으로써 자식을 가르치고

*소인배는 말로써 가르친다고 했거든.
꽥꽥? 꽥꽥 꽥꽥꽥. 뭐해? 어서 올라가.
꽥꽥꽥 꽥꽥꽥. 방법을 몰라요.

제일 중요한 것은 습관을 가지는 일이야. 공자도 '어려서 형성된 것은 천성(天性)과 같고, 습관은 저절로 그렇게 된 것과 같다'고 했어.
습관
₩

* 소인배: 마음 씀씀이가 좁고 간사한 사람.

9장

정가(正家) 편 – 친친(親親) · 근엄(謹嚴) · 절검(節儉)

친친

근엄

절검

친척
친친(親親):
친척과 친함에
대하여

어머니, 아버지 사이가 좋고
아들 딸하고도 화목한데, 형제들하고는
사이가 나빠 고모, 이모, 삼촌들과
왕래를 안 하는 집이 있어.

형제
친척

또 가족들이 서로 다투어 일주일 혹은
한 달 동안 말을 안 하고 투명인간처럼
지내는 집이 있어.

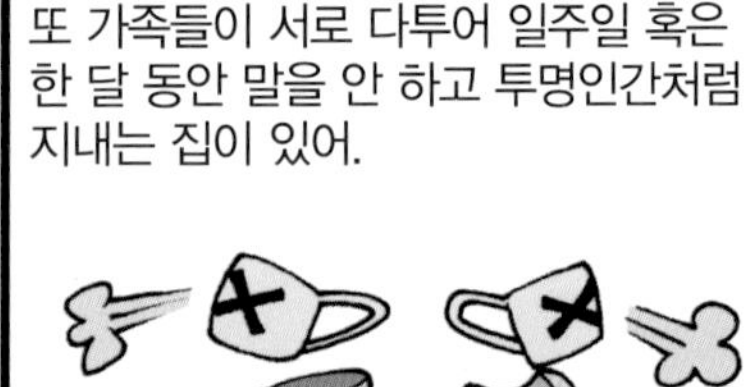

가까이 있는 사람에게 소홀히 하면서 소홀해도 괜찮은
사람에게 오히려 친절한 사람들도 많지.

하이…

여러분 중에도 친구들하고는 잘 지내면서 형제한테는
퉁명스럽게 대하는 친구들도 많을 거야.

?
으르렁!
친구
형
제
친구

모든 일을 당연하게 여기며
친척들에게 친숙함과 고마움을
표현하지 않고
고맙다는 인사 정도는….
친척끼리 치사하게.
친척

남에게는 '고맙다, 미안하다'고
말하며 친절하게 대하는 경우가 많아.
젊은이, 이거 하나 먹고 해.
고맙습니다.
인사성도 밝아라.
남
친척

이 같은 행동은 근본을 잃고 중심을
못 잡는 거야.
근본

이이는 사람의 관계에는 질서와
순서가 있다고 했어.
인간 관계
1
2
3

우선 형제 사이의 우애를 돈독히
한 후에 친구 사이의 의리를
돈독히 하라는 거야.
1 형제간의 우애
2 친구 사이의 의리

그렇다고 친구들에게 박하게
대하라는 건 절대 아니야.
다만 순서를 지키라는 거지.
대기번호
002
현재대기인수:001명
어서오십시오.
순번대기 시스템

형제에게는 성의 없이 대하고 친구에게는
베푸는 사람은
친구
형제
턱

근본 없는 물과 같아.
여기서 근본 없는 물이란 아침에
가득 찼다가

저녁에 말라 버리는 것을 말해.
네가 마셨지?
아니거든.

옛말에 '피는 물보다 진하다'라는
말도 있잖아? 끈끈한 형제애를
소중히 여겼으면 좋겠어.

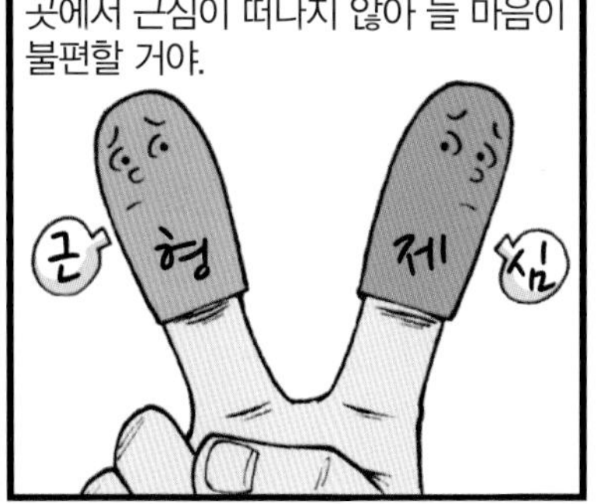
형제들 사이가 멀어지면 마음 깊은
곳에서 근심이 떠나지 않아 늘 마음이
불편할 거야.
근
형
제
심

그러니 *천륜(天倫)이 어그러지지
않도록 노력하며 사는 일은 매우
중요해.
천륜
형
제

* 천륜(天倫): 하늘이 맺어 준 부모 형제 사이의 마땅한 도리.

특히 혈연관계에 있는 사람을 대할 때 반드시 주의해야 할 일이 있어. 그중에는 어진 사람도 있고 어리석은 사람도 있어.

어헝…

어진 사람

어리석은 사람

그들과 화목하게 지내라고 해서 모든 혈연의 요청을 무조건 들어 주라는 건 아니야.
혈연
요청
OK

특히 한 나라 임금의 혈연들이라면 그들이 누릴 부와 권력은 어마어마할 거야.
혈
연
부
권력

사돈의 팔촌까지 모두 '내 친척이 임금이다'라고 거드름을 피울 거야.
내 친척이 임금이다
사돈의
팔촌

따라서 생각이 올바르고 성품이 후덕한 사람이라면 모를까.
후 덕

혈연관계라는 이유 하나만으로 재덕이 없는 자를 중용(重用)하는 일은 절대로 없어야 해.
이 자리 나 줘!
NO
혈연
중용

과거 우리나라 대통령도 국민들에게 고개 숙여 사과하는 경우가 많았어. 그 이유는 대개 대통령 자신보다 일가친척들의 비리 때문이었지.
대통령 대국민 사과 성명
일가친척 비리와 관련한 불미스러운 일들로 국민 여러분께 심려를 끼쳐 드린 점 고개 숙여….

과연 역대 대통령 중 친인척 비리가 없었던 사람이 몇 명이나 될까? 혈연을 잘 관리하는 일은 정말 힘든 일인 것 같아.
사과드립니다.
역대 대통령들
친인척 비리

개인적인 관계로 상대를 믿고 큰 책임을 맡기면 반드시 폐단이 생겨.
믿는 도끼에 발등 찍힌다
삐삐요
삐삐요

따라서 친척을 중용할 때는 반드시 그 사람의 됨됨이를 살펴본 후에 해야 해.
돌다리도 두들겨 보고 건너라
톡
톡
친
척

그가 덕을 펼칠 수 있는 사람인지 아닌지를 판단해야 하는 거지.
음…
친척

정(情)과 예(禮)를 적절히 조절할 수 있다면 선(善)에 도달할 수 있을 거야.
선
예
정

만약에 사사로움에 치우쳐 친척들을 후하게만 대한다면, 친척의 옳지 못한 요구까지도 들어주게 될 거야.
친척
요구

그리고 그 사람이 잘못을 했을 때 정의롭게 다스리지 못할 거야.
친인척
비리
척결

공적인 의리를 다한다는 명분으로 무조건 친척을 멀리하는 것도 안 되겠지만
의리
친척

개인적인 혈연관계 때문에 공적인 의리를 저버리는 일을 해서는 안 돼.
의리
친척

지도자는 정(情)과 의(義) 사이의 적절한 선(線)을 넘지 말아야 해.
의
정

근엄(謹嚴):
근엄한 몸가짐에
대하여

보통 한 집안의 아버지는 다정할 때보다 근엄할 때가 더 많아. 그래서 아버지가 자식을 사랑하지 않는다고 생각될 때도 많지.
근
엄
아버지지만
무섭다

하지만 이것은 모두 다 집안을 잘 다스리기 위한 거야.
어흥!
집안 다스리기

집안의 가장인 아버지가 가볍게 감정을 표현하고,
희
노
애
락

누구를 더 좋아하고 누구를 덜 좋아하는 것이 드러난다면 집안 식구들을 공평하게 다스리기 어려울 거야.
아버지는 날 싫어
하는 게 분명해.
삐뚤어질 테다!

그래서 아버지는 근엄한 표정을 짓고 가벼이 행동하지 않는 거야.

아버지의 근엄함은 우선 부부 간의 예(禮)에서 시작되어야 해.

존 중

부부는 서로 사랑하여 부부의 연을 맺은 만큼 그 좋아함이 남다르지.

LOVE
부
부

그렇다고 해서 집에서 항상 붙어다니고 너무 친하게 애정 표현을 한다면 가장의 권위가 제대로 서지 못할 거야.

적당히들 하시죠?

그래서 우리 조상들은 가정에서도 안과 밖을 분명하게 구분했단다. 남자는 주로 바깥쪽에 있는 사랑채에서 생활하고 여자는 안채에서 생활했지.

안채
찡긋
찡긋
사랑채

연세가 많으신 할머니들이 남자가 부엌에 들어가는 것을 싫어하는 것도 이런 풍습과 관련이 깊어.

남자가 부엌에 들어가면 고추 떨어진다
툭!

옛날에는 여자의 사회 진출이 매우 드물었어. 대신 여자는 주로 집안 살림을 맡아서 했어. 현대에 비해 남자와 여자의 역할이 분명히 구분되었던 거지.

집안 살림

남자가 집안 살림살이에 대해 사사건건 간섭하는 것은 법도에 어긋나는 일이었어.

잔소리, 윱!
법
도
살림살이

반면에 여자는 남자가 하는 공적 사무에는 일절 간섭하지 않았어.

좀 도와주시오.
일절 간섭하고 싶지 않사옵니다.
공적 사무
카톡 카톡

심지어 우물도 남자와 여자가 서로 다른 우물을 사용했단다.

여성 전용
남성 전용

또 같은 목욕통을 사용해서도 안 되었어.

남 탕
요금소
여 탕

법도가 엄격한 집안의 옛 어른들은 이렇게 가르쳤어. 아무리 부부라 해도 잠자리를 같이 쓰지 말아야 한다고 말이야.
부
부

서로 옷을 바꿔 입어서도 안 되고,

남자는 안채에 들어갈 때 휘파람을 불거나 손가락질을 하면 안 된다.
휘파람 NO
안채
톡톡

여자는 대문 밖에 나갈 때 반드시 얼굴을 가려야 한다.

밤길을 걸을 때는 촛불을 들고 가야 한다.
꺼어억
?

길을 걸을 때 남자는 오른쪽, 여자는 왼쪽으로 가야 한다.
에헴~

물론 이런 가르침은 현대를 사는 우리에게는 적용되지 않아.
출입 금지
옛날옛적 가정의 법도
현대

하지만 그 가르침의 근본 뜻을 잊어서는 안 돼.
가정
집안의 법도

남자와 여자가 각자 역할에 따라 본분을 잘 지켜야 좋은 가정을 꾸릴 수 있다는 얘기지.
좋은 가정
♂ 밖
♀ 안

가족들만 있는 집 안이라고 해서 아무렇게나 입고 있고,
옷 좀 입지? 애도 있는데.
집인데 어때?

아무렇게나 말하고 행동한다면 오히려 가족 관계가 나빠질 수 있고,
야!
너!
시끄-!

밖에 나가서도 흐트러지는 행동을 할 수 있어.

사람의 마음은 대체로 편하고
방탕한 데로 흘러가기 쉬워.
절제
방탕

뒤늦게 후회하고 잘못된 점을
바로잡으려고 해도 그때는
돌이키기 힘들 거야.
엎질러진 물

어른과 어린이 사이에 순서가 사라지고
찬물도 위아래가 있다
…

남녀의 구별이 어지러워져
아
자~

사람들이 은혜와 예의를 지키지
못하면 윤리가 깨지는 거야.
윤
리

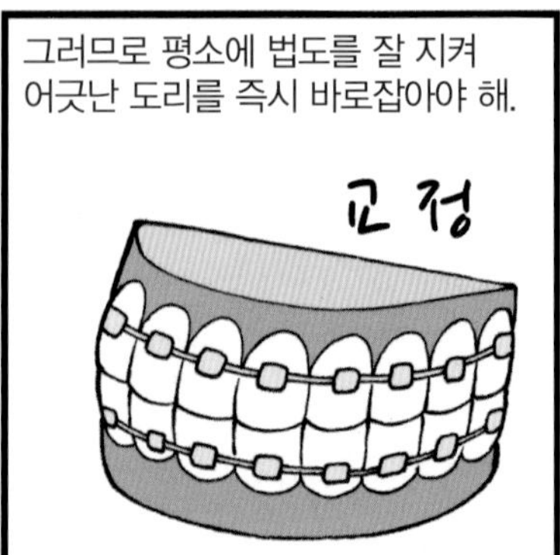
그러므로 평소에 법도를 잘 지켜
어긋난 도리를 즉시 바로잡아야 해.
교정

요즘 텔레비전 뉴스를 보면 좋아하는
사람이 변심했다고 그 사람을 해치고,
NEWS
치정 범죄
변심한 애인을…

가족들에게 손해를 끼쳤다고 이를
보복하는 범죄 뉴스가 심심치 않게
나와.
애 애
애
앵
보복
범죄
감히 나의
가족들에게
손해를 입혀?

그래서 《대학》에서는 '치우치지 마라'는
가르침을 매우 강조해.
균형을
잡아!
대
학

또 《대학》에 보면 이런 말이 나오지.
'사람은 자기가 좋아하는 대상에
치우치기 마련이고,
좋아하는
대상

천하게 생각하고 싫어하는 대상에도
치우치게 된다.
천한 자
싫은 자

자기가 두려워하거나 공경하는
대상에 치우치고,
두려운 자
공경하는 자

자기가 슬퍼하거나 가엾게 여기는 대상에 치우치며
슬픈 자 가여운 자

오만하거나 나태한 대상에도 치우친다.
오만하고 나태한 자

그래서 좋아하면서도 나쁜 점을 알고, 미워하면서도 좋은 점을 알 수 있는 사람은 드물다.'
가뭄에 콩 나듯!

보통 사람의 감정은 마음이 향하는 대로 따라가는 경향이 있어.
보통사람의 감정
마음

전체를 객관적으로 살피기 어렵기 때문이지.

만약 감정이 어느 한쪽으로 치우친다면 정의로움을 행할 수 없어.
정의로움

따라서 집안을 잘 다스리기 위해서는 사사로운 감정에 얽매이지 않아야 해.
가정은 포기해.
포기 못 해, 이거 놔!
사사로움
집안의 법도

그러기 위해서는 항상 근엄함을 잃지 말고 조심해서 행동해야 해.
근엄
감히 다가갈 수가 없다
사사로움

감정만을 좇다 보면 사리가 어두워져 한쪽으로 치우칠 수 있어. 이 때문에 해로울 수도 있지.
해로움
쿵!

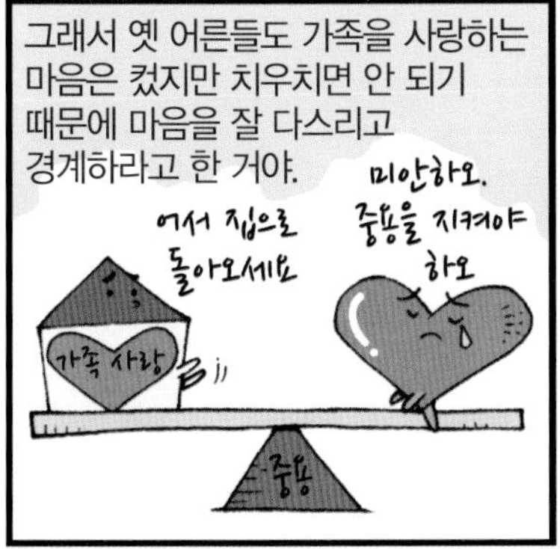
그래서 옛 어른들도 가족을 사랑하는 마음은 컸지만 치우치면 안 되기 때문에 마음을 잘 다스리고 경계하라고 한 거야.
어서 집으로 돌아오세요
미안하오. 중용을 지켜야 하오
가족 사랑
중용

특히 자기 자식의 잘못은 인정하기가 쉽지 않아.
내 자식이 나쁜 짓을 할 리가 없잖아? 인정 못 해!
아빠 제가 한 거 맞아요.
쉿!

대부분의 사람들은 자기 자식을 특별하게 여기기 때문이지.
특별한 내 아들

자기 땅에 자란 잡초를 보이지 않는다고 방치하면 밭 전체를 못 쓰게 될 수 있어.

어디가 밭이고 어디가 숲이냐?

다스리기 어려운 것은 자식뿐만이 아니야. 소인도 마찬가지야.

자식
소인
야생마
길들이기

그래서 공자는 이런 말을 했어.

소인(小人)은 다루기가 어렵다. 가까이하면 공손하지 못하고 멀리하면 원망한다.

소인

여기서 소인이란 집안의 종이나 하인을 가리켜.

뭐든
시키십시오.

근엄하게 다루어야 할 대상이, 가족뿐만 아니라 집안일을 하는 하인들도 포함된다는 거야.

다들
잘해.
가 족
7
하 인
12

만약 한 집안의 가장이 아니라, 한 나라를 다스리는 왕이라면 어떻게 해야 할까?

가장
왕

아버지보다 훨씬 많은 이들에게 근엄함을 보여 줘야 할 거야. 왕은 가족뿐만 아니라 신하들에게, 백성들에게 근엄해야 해.

근
엄
왕
가족
신하
백성

특히 신하를 잘 다스리는 일은 매우 중요해. 나라를 잘 다스리는 것은 여러 신하와 관리들을 어떻게 다스리느냐에 달려 있기 때문이야.

워 워
끼익
신하
관리

그러니 사사로운 감정에 휩싸여 친한 사람에게 벼슬을 주면 안 돼.

NO!
벼슬
친한
사람

반드시 능력 있는 자를 골라 등용해야 해.

퉤
퉤
능
력

특히 높은 지위에 있는 사람을 고를 때는 능력과 함께 덕을 살펴야 해.

능
력
덕

악덕한 자가 높은 자리를 얻어 악행을 저지르면 그 피해는 상당할 거야.

꿀단지
높은 자리

그래서 왕은 덕이 있고 어진 자를 찾아내는 안목을 길러야 하는 거야.

안 목

임금 곁에는 내시(환관)들이 많이 있어.

내시는 임금 가까이에서 사소한 시중을 들거나 숙식에 관련된 일을 맡아 보는 남자들이야.

숙식
뻘 뻘 뻘
시중

왕은 어렸을 때부터 내시들의 도움을 많이 받기 때문에 아주 가깝지.

땡큐

때로는 엄마처럼, 친구처럼 그리고 스승처럼 여기기도 해.

엄마
친구
스승

그래서 내시들을 근엄하게 대하기가 어려워.

부비 부비

내시들은 임금과 친하고 정이 깊어 왕의 비밀까지 속속들이 아는 경우가 많거든.

왕의 비밀

그들이 서로 짜고 임금의 마음을 녹여 낸다면

내시
갑자기 덥네
임금의 마음

임금이 아무리 선정(善政)을 베풀어도 선(善)을 다 녹여 없애 버릴 수도 있어.

선
백성을 위한 정치
선정
내시

따라서 내시를 대할 때는 소홀함이 없어야 해.

그림자 밟지 마라.
이크

어리석은 임금일수록 어릴 때 습관에서 벗어나지 못해 밤낮으로 내시를 부르고, 찾아가 상의하는 데 거리낌이 없어.

상
의

그래서 '내시가 끼치는 화는 총애하는 여자보다 더 심하다'라는 말이 나올 정도야.

내
시

환관은 궁중 생활의 타성에 젖어 올바른 예법을 모르는 경우가 많아.

후…

하지만 임금 가까이에서 임금의 뜻을 잘 알아차리고,

내가 게임하고 싶은 줄 어떻게 알았어?
척하면 착입니다요.

때로는 부드러운 안색과 따뜻한 모습으로 간사한 술수를 부려 사건을 꾸미기도 해.

어리석은 임금은 이들을 믿고 일을 맡겨 나라를 망치기도 해.

나라

다행히 우리나라는 궁궐의 예법이 엄격하여 200년 동안 내시를 정치에 참여시킨 일이 없어.

정치
내시 출입금지

하지만 중국의 한나라에서는 환관에게 권세를 주었어. 당나라에서는 병권을 주기도 했지.

사마천
정화

그러다가 나중에는 내시들을 다루지 못해 임금이 위기에 처한 사례도 많았어. 그들의 역사를 거울 삼아 임금은 늘 내시를 경계해야 해.

중국
후한시대
'십상시의 난'

만약 학교 선생님이 교실에서 어떤 아이를 편애한다고 생각해 봐.

편
애

상냥하고 다정한 선생님이 자신이 예뻐하는 아이들에게 더욱 활짝 웃어 준다면 예쁨을 받고 싶어서 무리하게 욕심부리는 아이들이 생기고,

무리한
욕심

질투와 시기심이 자라 큰 화를 부르지 않겠니?

키키키킥
질투
시기심
수류탄
안전핀

한 가정이나 교실에서 벌어지는 편애도 이 정도인데
이씨!
편애

하물며 한 나라를 다스리는 임금이 편애를 한다면 얼마나 큰 화가 일어날까?
에잇!
편애

때문에 한 나라를 다스리는 임금이 사람들을 공평하고 근엄하게 대하는 일은 아주 중요해.
공
평

임금이 충성스러움과 간사함을 잘 분별하지 못하면 나라에 큰 어려움이 생길 수 있어.
정지! 정지!
나라

사이가 멀고 관계가 뜸한 신하라고 해서 그를 믿지 못할 사람으로 생각하고,
……
나랑 친하지 않은데… 믿을 수 있을까?
신하

혈연 관계에 있는 친척이나 외척들만 믿는다면 큰 화를 당할 거야.
똥칠
친인척

근엄함은 부자(父子) 사이에도 지켜야 해.
근
엄
아버지라도 어렵다…

그래서 이이는 '근엄함'에 세상을 다스리는 도리가 다 들어 있다고 말한 거야.
근엄함
세상을다스리는도리

근엄함을 한 마디로 말하면 '한결같음'이라고 할 수 있을 거야.
아스파라거스 꽃말
: 한결같은 마음

근엄함을 갖춘 임금은 선한 일을 한 사람과 악한 일을 한 자 모두를 한결같이 공정하게 대하고,
선
악

친척들 가운데에도 충성스러운 자와 죄를 지은 자 모두를 한결같이 공정하게 대할 수 있어.
충
죄

이렇게 할 때 나라의 윤리가 바르게 서고 은혜와 의리가 돈독해질 수 있어.
은혜·의리
윤리
나라

절검(節儉):
절약과 검소에
대하여

집안을 다스리는 마지막 도리는
절약과 검소함이야.
절약과 검소함

부모님이 '쓸데없이 켜져 있는 전등은 꺼라', '양치할 때는 컵을 사용해라' 등등 끊임없이 절약에 대해 말하지?
절약 절약
엄마 입

그건 몸에 절약 정신이 배도록 하기 위해서야.
침 냄새 몸에 배겠네.
절·약

검소함에는 적절한 시기와 정도가 있어.
검
소
정도
시기

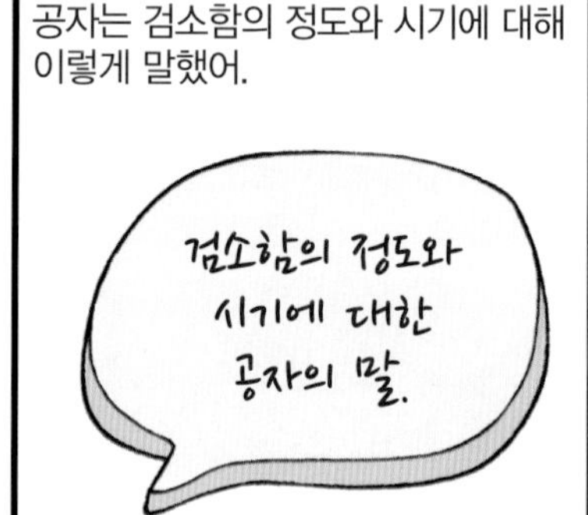
공자는 검소함의 정도와 시기에 대해 이렇게 말했어.
검소함의 정도와 시기에 대한 공자의 말.

우임금은 조금도 흠잡을 데가 없다.
그가 먹는 음식은 소박했으나 *귀신에게 효도를 다했다.
우임금은 평소에 입는 옷은 거칠었으나 제례의 예복에는 아름다움을 다하였다.
그의 궁실은 보잘것없었으나 논밭의 도랑을 정비하는 일에는
온 힘을 다하였으니 조금도 흠잡을 데가 없다.
존경

* 귀신에게 효도를 다했다(致孝乎鬼神)라는 문장은 '제사를 모심에 정성을 다하였다'로 해석됨.

일률적으로 풍족과 검소의 기준을 정하긴 어려워.
어디에 기준을 맞춰야 하나?
풍족·검소

각각의 형편에 따라 유연하게 정해야 하지.
풍족·검소
형편

우임금은 자신의 의식주는 검소했으나 백성을 위하는 일에는 아끼지 않았어.
많이 먹어.
풍족
백성

이이는 임금의 평소 생활이 검소하고 소박하다고 해서 백성을 위한 공적인 행사에서까지 검소하고 소박할 필요는 없다고 말했어.

검소
백성을 위해
큰맘 먹고
돼지 한 마리
잡았다.
백성을 위한
공적인 행사

백성을 위한 일, 공공의 이익을 위하는 일에는 아낌없이 써야 한다는 말이야.

아낌없이 주는 나무

임금은 자신이 누리는 부와 권력이 자기의 능력에 의한 것이 아니라,

본인 능력이
아니란다.
치워!
부
그럼 그렇지.
권력
자기 능력

백성이 빌려 준 것이라는 사실을 알아야 해.

갚으세요.
백성
물론

역사를 보면 나라의 재산을 알뜰하게 사용한 임금과 그렇지 못한 임금을 만날 수 있어. 중국 한나라의 황제였던 문제와 무제의 이야기를 들어 볼까?

한나라
영역
(BC.202~
AD.220)
문제
무제

한나라 문제(文帝)는 백성들의 생활을 안정시켜 태평성대를 이룬 대표적인 임금이야. 그가 황제로 즉위하고 23년이 지나도록 궁궐의 방이나 마차와 말, 의복과 수레 심지어 궁궐 안에 키우는 동물 한 마리도 늘어난 것이 없었어.

100
100
1
23
문제(文帝, 즉위 BC 180~BC 157) 한나라(전한) 5대 황제

*문제 황제 자신은 부족하거나 불편한 것이 있어도 이를 보충하는 일은 뒤로 미뤘어. 백성을 이롭게 하는 일에 집중하기 위해서였지.

백성이 먼저다.

한 번은 이런 일이 있었다고 해. 문제 황제가 비를 피할 수 있는 정자 하나를 지으려고 했어.

정 자

* 문제(文帝): 한나라의 5대 황제. 태평성대를 이룬 성군으로 알려져 있다.

이때 신하가 이렇게 얘기했어.

정자를 짓는 데
비용이 100금이
필요합니다.

문제는 신하의 말을 듣고,

100금이면 중산층 열 집의 재산이다. 나는 조상 대대로 내려온 궁실(宮室, 전 안에 있는 방)을 받드는데도 항상 두렵고 부끄러운데 어찌 정자를 또 짓겠는가?

라고 말하며 정자 짓기를 포기했다는 거야.

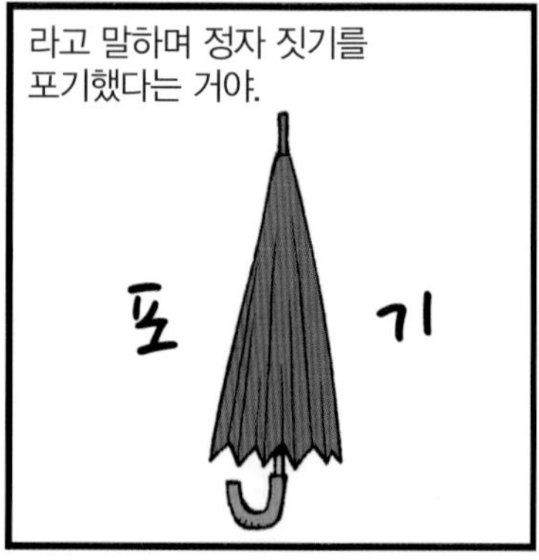
포 기

문제는 평소에 검은 빛깔의 명주를 입었고,

명 주

황후와 후궁들에게는 옷이 땅에 끌리지 않게 입도록 하여 낭비를 막았어.

지익…

또한 궁궐의 장식도 최소화하여 궁궐의 휘장과 커튼에 수놓인 무늬도 없앴어.

지우개

그는 늘 소박한 것을 실천하여 백성들의 좋은 본보기가 되었어.

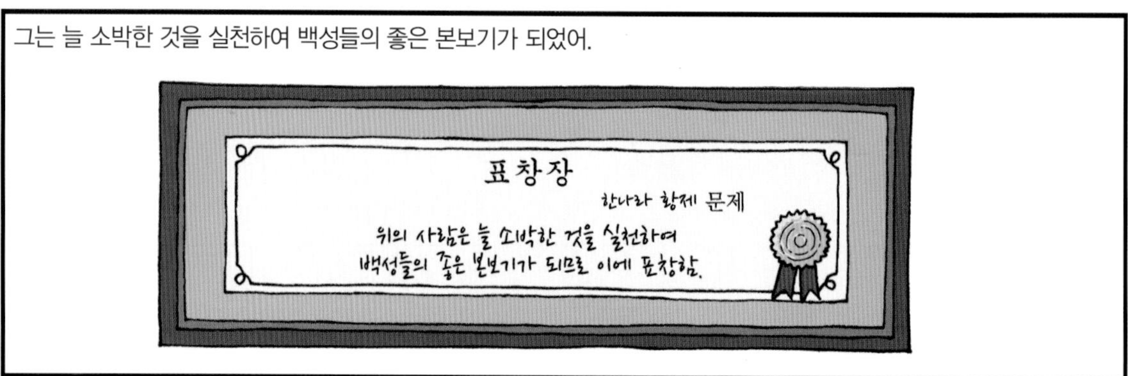
표창장
한나라 황제 문제
위의 사람은 늘 소박한 것을 실천하여
백성들의 좋은 본보기가 되므로 이에 표창함.

그러다 한나라 7대 황제인 *무제(武帝)가 한나라를 다스릴 때는 다시 사치 풍조가 극에 달했어.

백성
한나라
사치 풍조

무제(武帝)는 사치 풍조를 없애기 위해 신하에게 '백성들을 교화시키고 싶은데 무슨 방법이 없을까?'라고 물었어.
근검 절약
백성
교화
한나라

* 무제(武帝, 즉위 BC 141~BC 87): 한나라 7대 황제로 흉노를 정벌하는 등 잦은 대외 원정 사업으로 재정난을 겪자 강력한 중앙집권적 경제 정책을 실시했다.

이때 어떤 충성스러운 신하가 다음과 같이 대답했어.
천자의 몸이 낡고 무늬가 없는 것을 입고 쓰면 천하의 사람들이 저절로 우러러보며 아름다운 풍속을 갖게 됩니다.

그런데 황제께서는 좋은 의자에 앉고,

화려한 비단옷을 입고,

마구간의 말에게도 아름다운 융단을 입힙니다.

그리고 후궁과 궁녀들에게 화려하고 아름다운 장식 옷을 입게 합니다.

황제께서 방탕하고 사치스러운 생활을 하면서 백성들에게 농사나 잘 지으라고 말할 순 없는 법입니다.
옳소~

사람들이 오가는 큰 거리에서 비싼 보석이나 옷을 불태우고, 좋은 말을 버리신다면 다시 융성해질 수 있을 것입니다.
….

하지만 무제 황제는 신하의 충언을 듣지 않았어.
너나 버려야 겠다.
신하의 충언

무제는 결국 백성들의 사치를 제대로 다스리지 못했지.
사 치 풍 조

이래서 임금의 검소함이 매우 중요해. 임금 자신뿐만 아니라 여러 사람들에게 큰 영향을 미칠 수 있기 때문이지.
군자지덕풍(君子之德風)
: 군자의 덕은 바람과 같아서 아랫사람은 그의 풍화를 받는다.

검소함으로 집안을 다스리는 것도 마찬가지야. 검소하게 사는 일이 단순히 생활비를 아끼는 게 아니거든.
생활비

부모가 검소하게 살면 그것을 보고 배운 자식들은 나중에 가난에 시달리지 않고 풍요롭게 살아갈 수 있어.
어른은 아이의 거울이다.
₩
검소
풍요

그래서 이이는 검소함이
덕 가운데 가장 공손한 것이고,
공
손
검소함
덕
덕
덕

사치는 악 가운데 가장
큰 것이라고 말하는 거야.
사치
악
악
악

사람이 검소하면 마음이 방탕해지지 않아서
위급한 일이 생겼을 때 충분히 극복할 수
있는 여유가 생겨.
검소
여유

반대로 사람이 사치스러우면
겉으로 보이는 것에만
신경 쓰게 돼.
명
품

그러면 가진 것에 금방 싫증이 나고
점점 씀씀이도 헤퍼지지.
재 산
콸 콸
사치·낭비

조상들이 부지런히 일해서 재산을
모으면 자손들은 검소하게 살면서
그 재산을 지켜야 해.
검소!
검소!
철통같이
지켜서
침투할 수가
없다.
유 산
너무
검소한 거
아냐?
사치
낭비

그런데 여러 대가 흐르는 동안 단 한 명이라도 사치와
향락을 일삼으면
사치
향락
재 산

여러 대에 걸쳐 쌓아 온 가산(家産)을 하루아침에 탕진해
버릴 수도 있어.
나 좀
꺼내 줘
탕 진
가 산

하물며 나라 창고에 쌓여 있는 재물은 아주 작은 것도
백성들의 *고혈(膏血)에서 나온 거야.
백성
고생
고혈
나라의
재 물

어찌 나라의 재물로 사치를 일삼고 낭비할 수 있겠어?
백성의
고혈
사치
낭비
나라의 재물

* 고혈(膏血): 사람의 기름과 피라는 뜻으로, 고생하여 얻은 이익이나 재산을 가리킴.

조선시대 *연산군(燕山君) 이후, 조정에서 사용하는 많은 것들이 점점 사치스러워졌어.
지화자 좋고~
향락
사치

그러자 굉장한 토목공사를 벌인 것도 아닌데 여러 대에 걸쳐 쌓아 온 나라의 재정이 바닥을 보이고 말았어.
돈 다 어디 갔어?
텅…
나라의 재정

이럴 때 흉년이 들거나
쨍…

* 연산군(燕山君): 조선의 10대 왕으로 무오사화와 갑자사화 이후 폭군으로 지탄받았던 인물이다.

전쟁이 난다면 나라 살림을 어떻게 꾸려나갈지 매우 난감해지겠지?
전쟁이다.
이리 안 와? 전쟁이래. 나랑 상의해야 해.
살림
꽥꽥

그런데 연산군 때부터 왕에서 백성에 이르기까지 나라 살림이 어려운 것을 모르고 사치를 일삼았어.
나라 살림

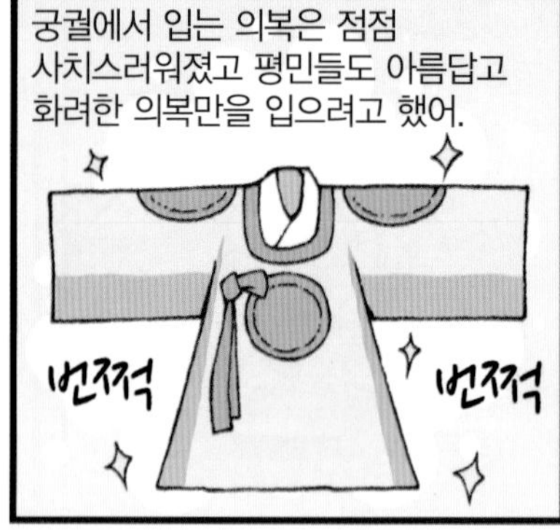
궁궐에서 입는 의복은 점점 사치스러워졌고 평민들도 아름답고 화려한 의복만을 입으려고 했어.
번쩍
번쩍

임금부터 변해야 해. 변화는 법이나 제도로 되는 것이 아니라 임금의 실천이 있어야 생길 수 있어.
솔선수범.
실천
근검 절약

태평성대를 이뤘던 중국의 요순시대 요임금의 마음을 배워서,
중국 요순시대 태평성대에 관한 강의
요임금의 마음

임금이 몸소 띠풀로 지붕을 잇는 노동을 하고, 흙으로 계단을 만들어야 해.
띠풀 지붕

임금은 궁궐의 쓰임새를 절약하고, 고위 관료들은 임금의 행동을 본받아야 해.
임금도 하는데 나라고 못 할 소냐.
절약
절약

지도층부터 검약하는 생활 태도를 가지면 평민들도 본받아 나라 전체가 검소하게 될 거야.
상행하요
윗사람이 하는 짓을
아랫사람이 본받는다
상행
하요

이렇게 하면 온 세상의 재물이 허투루 버려지지 않고 나라의 재력도 금방 회복될 거야.
나라의 재력

집안을 바로잡는 일은 단순히 가정의 평화를 유지하기 위해서가 아니야. 집안을 바로 세우면 문화와 풍습을 변화시킬 수 있어.

문화와 풍습
가정의 평화

'가랑비에 옷 젖는 줄 모른다'는 속담처럼 개인의 행동도 조금씩 변하게 될 거야.

근검 절약

습관이 되면 나중에는 그만두고 싶어도 멈출 수가 없어.

정성을 다해 마음을 바르게 하면 집안이나 나라는 저절로 다스려지는 거야.

바른 마음
집안
나라

역사를 살펴보면 집안이 시끄러워도 탁월한 인재를 등용해 나라를 잘 다스린 임금도 있어. 하지만 그것은 일시적이야.

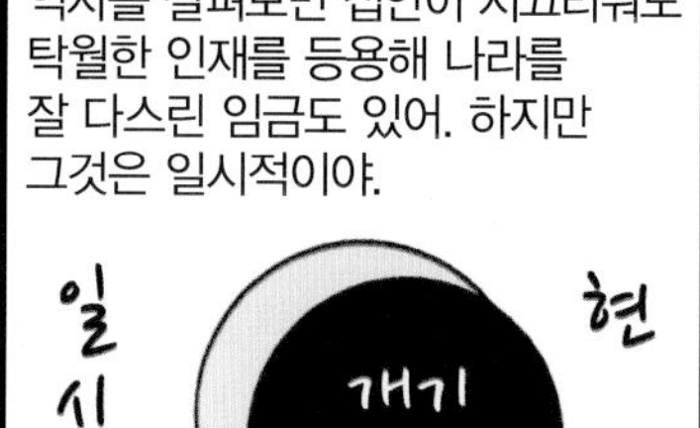
일시적
개기 일식
현상

집안이 시끄러우면 그 집안은 마치 근원 없는 물과 같아. 당장은 풍요가 넘쳐 흐른다 하더라도

풍요

곧 말라 버리게 돼.

빈곤

여름에 무성했던 나무가

다음 해에 말라 죽듯이 말이야.

세상의 리더가 되기 위해서는 자신의 마음과 몸을 다스려서 자기 집안을 바로잡고, 다른 사람들을 긍정적으로 변화시킬 수 있는 힘이 있어야 해.

남자는 힘!
수기
치인

그러기 위해서는 근본에 충실해지는 것 말고는 다른 방법이 없지.

뿌리가 튼튼해야 잎이 무성하다.
맡은 바 임무에 충실.

이제 본격적으로 나라의 정치에 대한 이야기로 들어가 볼까?
정치

10장

위정(爲政) 편 – 용현(用賢) · 취선(取善)

자기를 수양하고 집안 다스리기 훈련을 마쳤다면 본격적으로 정치에 대해 공부해 보자.
'정치(政治)'라고 하니까 관심 없다고 생각하는 친구들도 있을 것 같은데 정치는 '정치인'만 하는 게 아니야.
관심 없어.

정치(政治, politics)란 좁은 의미로 볼 때 정치가가 사회 구성원들의 다양한 이해 관계를 조정 · 통제하고 국가의 정책과 목적을 실현시키는 일을 의미해.
정치가
국가 정책과 목적
불편을 드려 죄송합니다.
통제구역

넓은 의미로 보면 개인이나 집단이 이익과 권력을 얻기 위해 사회적으로 교류하고 계획적으로 활동하는 일 전반을 의미하지.
교류
정치(개인·집단) 계획적 활동
사회적

그래서 인간을 '정치적 동물(호모 폴리티쿠스, Homo politicus)'이라고 정의하기도 해.
호모 폴리티쿠스
정치

이 책에서 말하는 '정치'는 좁은 의미의 '정치'에 대한 거야.
정치

제왕학의 위상에 맞게 여기서부터 본격적으로 왕의 역할과 도리에 대해서 풀어 줄게.
왕의 역활과 도리

어떤 조직이나 단체를 이끄는 지도자가 되고 싶다면 열심히 들어 주길 바라.

항상 말하지만 위대한 지도자가 되기 위해서 가장 먼저 힘써야 할 것은 '자신을 바르게 닦는 것'이야.
수신

공자도 이런 말을 했잖아?
수신제가치국평천하
(修身齊家治國平天下)
나를 다스리고
가족을 화목하게 하고
세계를 조화롭게
하는 것.

자기 수양이 가장 근본이고, 점점 자기 주변으로 확대해 가정을 바르게 만들고 마지막으로 나라를 바르게 다스려야 하는 거야.
치국
제가
수신

학문을 하는 궁극적인 이유도 남을 위해서야. '아름다운 사회를 만들어 가기 위함'이지. 세상을 아름답게 바꿀 수 있는 가장 빠른 방법이 정치야.
아름다운 사회 구현
정치
학
문

때문에 성군(聖君)이나 위대한 학자(學者)는 모두 훌륭한 정치인이 되는 것을 목표로 삼아야 해.
성군
학자
정치인

정치란 누구나 할 수 있는 것이기도 하지만,
보글
보글
정치

누구나 할 수 없는 것이기도 해.
대체 이게 무슨 맛이란 말인가?
정치

자기 수양이 되어 있지 않은 상태에서 권력과 부, 명예를 얻기 위해 정치인이 된다면 결코 정치의 궁극적인 목표에 도달하지 못할 거야.

나에겐 여기가 아름다운 세상인 것을. 캬캬캬!

권력 명예 부

아름다운 사회 구현

혹시 여러분 중에 자신의 꿈이 '정치인'이라고 당당하게 말하지 못하는 친구가 있다면 정치의 의미와 역할에 대해 오해해서 그런 걸 거야.

정책을 결정하는 사람을 무조건 비판하는 것도 옳지 않아.
비판
정치

사람들이 정치와 정치가에 대해 실망이 크다는 것은 정치에 거는 바람과 기대가 그만큼 크다는 것을 의미하기도 해.
소문난 맛집
정치국밥
퓨
읍

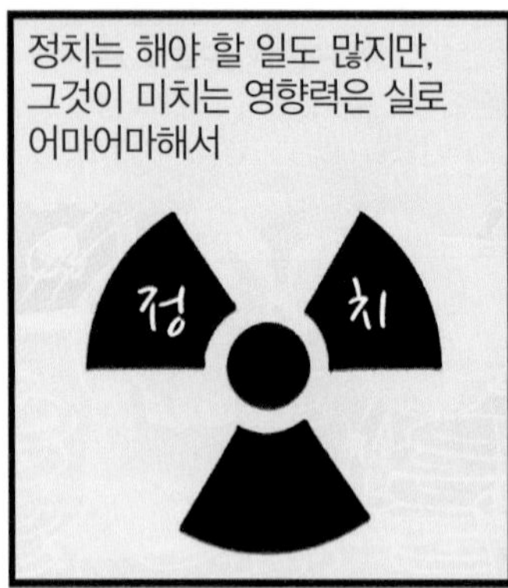
정치는 해야 할 일도 많지만, 그것이 미치는 영향력은 실로 어마어마해서
정
치

사람을 살리기도, 죽이기도 할 수 있어.
까악
까악
병 주고 약 준다.
정치
전쟁
평화

그러니 세상을 아름답게 변화시키고 싶다면, 정치인의 꿈을 꿔 보는 건 어떨까?
세상
정
치
인
의
꿈

《논어》를 보면 공자가 '덕으로 정치를 하는 것은 마치 북극성이 제자리에 있고 뭇 별들이 그를 향하는 것과 같다'라고 말한 구절이 있어. 깜깜한 밤하늘에 빛나는 북극성이 밤에 이동하는 동물들이나 나그네에게 나침반 역할을 해 주듯이.
저쪽이 북쪽이군.
북극성

진정한 지도자는 올바른 철학을 갖고 자신의 할 일을 묵묵히 하는 것만으로 사람들이 저절로 우러러 보고 본받게 하는 힘을 가질 수 있어.
진정한 지도자

정치가 세상을 변화시킨다는 것은 그런 의미일 거야. 세상을 편안하게 만드는 거지.
편안…

공자님 말씀처럼 북극성 같은 정치가가 되려면 구체적으로 어떻게 해야 할까? 지금부터 그 방법을 자세히 말해 줄게.
정치가

첫째는 믿음과 성실이야.
믿음
성실

공자는 다음과 같은 말을 했어.
LEE
JIN
YOUNG

나라를 다스릴 때 모든 일을 받들어 조심하고 믿음 있게 하며
운전을 차분히 잘하는군. 마음이 놓여.
모든 일
나라

재물을 절약하고,
재물
절약

사람을 사랑하고,

백성을 부릴 일이 있을 때에는 그 시기를 잘 골라서 해야 한다.
익은 것 같은데 수확할까요?
음…, 제대로 익은 뒤 수확합시다.
백성

나라를 잘 다스리려면 백성들이 많아지게 하고,
삼신할매

그다음은 사람들을 부유하게 해 주어라.
부유

그리고 그다음에는 사람들을 가르쳐야 한다.
교육

정치라고 해서 뭔가 다른 특별한 얘기가 나올 줄 알았는데 아니라서 좀 실망했지?
끄덕
끄덕

사실이 그래. 모든 일의 근본은 다 같거든.
모든 일
믿음·성실

사람들이 정치에서 가장 중요한
한 가지를 말해 달라고 했더니
공자는 '믿음'이라고 답했어.
그건 바로
믿음입니다.
JIN

공자는 군사력도, 식량도, 국가를
유지하는 근본이 아니라는 거야.
군사력
국가
식량
믿음

공자는 사람들이 모두 죽을 위기에
처했다고 하더라도 백성들에게 믿음이
있다면 그 나라는 다시 일어날 수
있다는 거야.
금 모으기
운동
IMF
1997

국가가 우리를 위해 무언가를 해 준다고 믿고, 우리도
국가를 위해 무언가를 하겠다는 믿음.
국가

이런 믿음이 국가와 개인 사이에 존재할 수 있다면, 그 어떤
위기를 겪는다고 하더라도 이겨낼 수 있을 거야.
믿음
국가
개인

하지만 이 믿음은 한 순간, 한두 가지
은혜로움을 받았다고 해서 생기지
않아.
믿음
아직도
멀군.
한두가지 은혜
한순간

이이는 믿음을 키울 수 있는 방법을
공자의 말씀을 인용해서 다음과 같이
말했어.
공자의 말씀
인용

식량을 풍족하게 해서 부유하게
만들고,
식량
부유

군사력을 키워 나라가 튼튼해진다면
백성들은 믿음을 갖는다.
군사력
마음이
든든하군.

이 말을 보면 믿음이 생기기까지 얼마나
많은 것이 바탕에 깔려야 하는지 알 수
있어.
믿음
부유
군사력

모든 것은 따로 떨어져 있지 않고
서로 연결되어 있으니
선순환하도록 항상 경계하고
살펴야 해.
선
순환
군사력
믿음
부유
국가

이이는 지도자가 백성들로부터 믿음을 얻기 위해서는 다음과 같이 해야 한다고 했어.

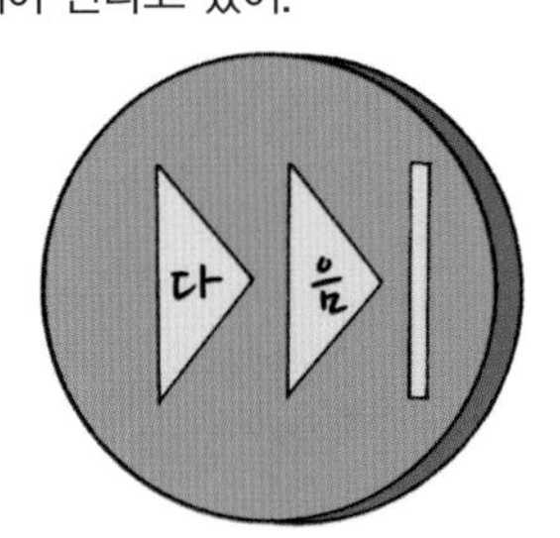
다
음

자신을 수양해서 도를 확립하고,

자기 수양

인재를 존경해서 의심스러움을 없애고,

존경
공
평

어버이를 사랑해서 친척들의 원망을 사지 않고,

어버이
공경

신하를 공경해서

황공하옵니다.
공경

유혹에 빠지지 않고,

유혹

여러 신하들을 내 몸처럼 여겨서 선비들에게 정중함을 보답받고,

합
체
팡
팡
팡
팡

백성들을 자식처럼 여겨서 백성을 부지런하게 하고,

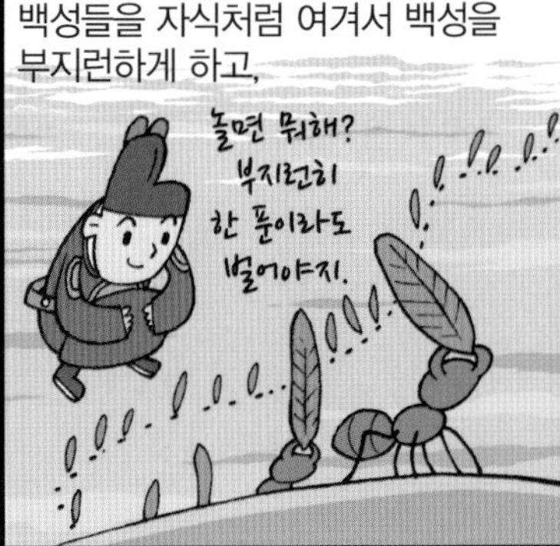
놀면 뭐해?
부지런히
한 푼이라도
벌어야지.

기술자들을 우대해서 재물이 풍족하게 하고,

기술자
우
대

먼 지역 사람들에게 잘 해 줘서 사람들이 몰려오게 하고,

*제후를 따뜻하게 품어 주라.

제후

* 제후(諸侯): 봉건시대 영토를 가지고 있어 그 영내의 백성을 다스릴 수 있는 권력을 가진 사람.

지도자가 되면 할 일이 너무 많아 걱정이라고?
그런 걸 왜 해요? 머리 아프게.

너무 걱정하지 마. 이 모든 것은 지도자의 '성실함'으로 통하는 거야.

천하와 국가를 다스리는 데에는 천만 가지 다른 방법이 있을 거야.
천하·국가
천만 가지 방법

하지만 그것을 행하는 가장 기본은 오직 하나, 바로 '성실'이란다.
성실

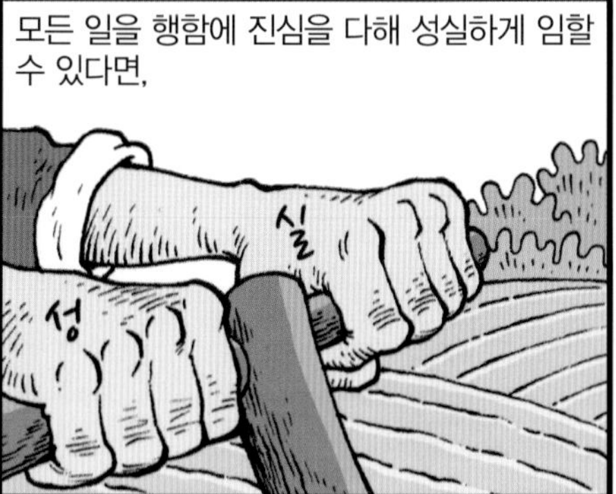
모든 일을 행함에 진심을 다해 성실하게 임할 수 있다면,
실
성

자기 자신도, 친인척도, 백성들도, 제후도, 나라도 다 잘 다스릴 수 있어.
제후
백성
친인척
나라

둘째로, 용현(用賢)이야. 어진 사람을 등용하는 거지.
등
용
어진 사람

용현(用賢)이란 현명한(賢) 사람을 활용(用)하는 것을 말해.
활
용
정치

정치를 하는 데 있어서 용현은 아주 중요한 일이야.
정치
용현

이에 관련해 공자는 다음과 같이 말했어.
정치는 인재를 얻는 데 달려 있다. 어진 사람을 등용하지 않고 정치를 잘하는 사람은 없다.

이이는 나라 살림을 잘하기 위해서 가장 신경 써야 할 것이 있다면 누가 지혜로운 사람인지,

지혜

그리고 그에게 어떤 지위를 줄 것인지 고민하는 일이라고 했어.

음… 어떤 포지션이 맞을까?

'결국엔 사람이다'라는 말을 들어 본 적이 있을 거야.

너
왈왈
사람
빽! 빽 빽!
꿀

아무리 시스템과 제도가 좋고 법이 갖추어져 있더라도

최첨단 시스템

그것을 실행하는 사람이 어떤 가치를 갖고 실행하느냐에 따라 해피엔딩이 되느냐 비극적 결말로 끝나느냐가 결정되지.

내 손에 달린 거군.
해피 엔딩
비극적 결말

그러니 한 나라를 잘 통치하려면 어진 사람을 잘 구별하고 그 사람이 일을 잘할 수 있도록 만들어 주는 것이 중요해.

앞이 잘 보여야지.

그렇다면 누가 지혜로운 사람인지 알아야겠지?

항상 말하지만 말로만 잘하는 사람, 아부하는 사람, 실천하지 않는 사람이 가장 위험한 사람들이야.

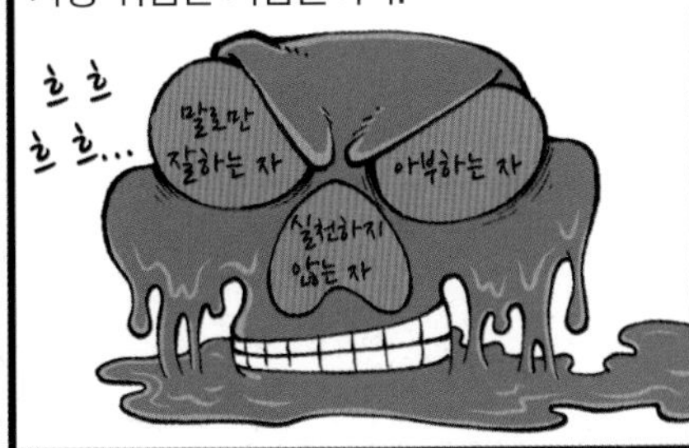
흐흐 흐흐…
말로만 잘하는 자
아부하는 자
실천하지 않는 자

이런 사람들을 가까이 하면 자신도 모르는 사이 물들게 마련이야.

좋은 인재를 찾으려면 우선 '관찰'을 해야 해.

?
관찰

그 사람이 인재인지 아닌지를 알기 위해서는 그 사람에 대한 소문, 학벌, 가정환경 등을 알기보다는

……
호적 조사
?

직접 그 사람을 관찰해서 그 사람의 됨됨이를 살펴야 해.

계속 미행을? 신고하자.

공자는 이렇게 말했어.
사람을 관찰하여 그가 행동하는 것을 보고 그가 따르는 것을 살피며 그가 편안하게 여기는 것을 파악하라.
누가 날 지켜보고 있는 것 같군.
두리번 두리번

이 말의 뜻은 선입견을 버리고
공
평

그 사람을 찬찬히 뜯어보면 그 사람의 진실이 드러난다는 말이야.
양이라고 깔보지 마!
이렇게 힘이 셀 줄이야!

또한 공자는 이렇게 말했어.
뭇 사람들이 모두 그를 미워하더라도 반드시 살펴보고, 뭇 사람들이 그를 좋아하더라도 반드시 살펴봐야 한다.

사람들은 귀가 얇아서 남들이 싫다고 하면 같이 싫어하고,
청기 올려.

남들이 좋다고 하면 *부화뇌동해서 이유도 없이 따라하잖아?
청기 내리고 백기 올려.

사람을 판단하고 사귐을 결정하는 데 있어서 이런 잘못을 범하면 절대로 안 돼.

* 부화뇌동(附和雷同): 줏대 없이 남의 의견에 따라 움직이다.

공자는 사람들이 다 싫다고 해도 공정히 살피고, 그 반대의 경우라도 반드시 살피라고 했어.

NO
Yes
Yes
NO
노 올려.
예스 올려.

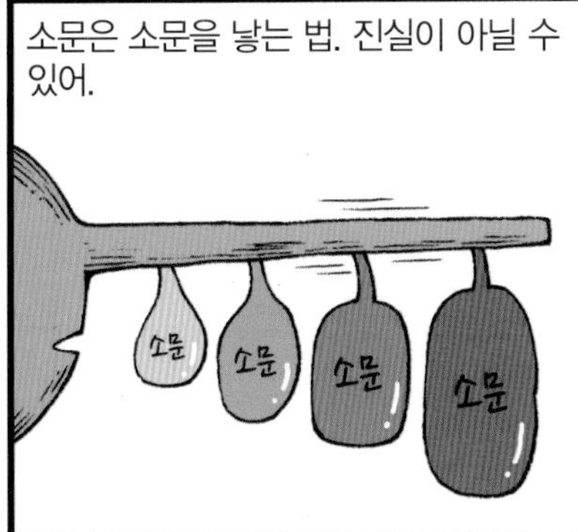
소문은 소문을 낳는 법. 진실이 아닐 수 있어.
소문
소문
소문
소문

남들의 추천이 어쩌면 뇌물이나 청탁에 의한 것일 수도 있어.
뇌물
청탁
사과

그러니 반드시 직접 살피고 살펴야 하는 거야. 살피고 또 살펴서
위폐 감별사

그 사람이 군자(君子)라면 가까이하고, 소인(小人)이라면 멀리할 줄 알아야 해.
위폐
진폐

누구를 멀리할지 가까이할지 정하려면 그 사람이 군자인지 아닌지 구별하는 *심미안(審美眼)이 필요해.
보석 감정사
심미안
소인
군자
소인
소인
소인

＊심미안(審美眼): 아름다움을 살펴 찾는 안목.

《주역》에 보면 이런 글이 있어.

군자는 같으면서도 다르다.
성현이 세상을 살아가는 데 인간의 도리를 지키는 것은
세속의 사람들과 비슷하지만 때로 다르다.
세속의 효도와 충성을 한다는 것은 비슷하다.
그러나 군자는 부모님의 말씀에 복종하는 것에만
그치지 않고 부모님을 일깨워 준다.
또한 임금에게 충성하지만 도리에 맞도록 이끌다가
지켜지지 않으면 떠난다.
이런 점에서 군자는 보통 사람과 다르다.

주역

군자는 보통 사람과
같으면서도 다르다고?
이게 무슨 뜻일까?
군자는 같으면서도 다르다.

조금 더 설명해 줄게. 좋은 친구를 구별하는 방법과도 크게 다르지 않으니 잘 봐.
친구
좋은

옛말에 군자는 '임금을 섬기지 않고 자기 자신의 일을 높인다'라고 했어.
군자는
임금을 섬기지 않고
자기 자신의 일을
높인다.

이 말은 군자는 누군가를 위해서 잘 하려고 애쓰는 것이 아니라,
나 이뻐?
응.

덕을 더 높게 쌓으려고 노력한다는 거야.
덕

나라가 평안해져서 살 만해지면 나태와 부패, 혼란에 빠지는 경우가 많지.
살림
나라
나태
부패
혼란

그럴 때 자기가 추구하는 가치를 고상하게 지킬 수 있는 사람이 군자라고 할 수 있어.
자기가
추구하는
가치

임금을 충심으로 섬겨서 나라의 여건이 개선되었을 때에도,
여건
나라
개
선

오직 자기 자신이 추구하는 가치를 위해 자기 자신을 더욱 높일 수 있는 사람,
자신이
추구하는
가치

그 사람이 진짜 나라를 위하고 임금을 위할 수 있는 사람이라는 거야.
신에게는 아직 열두 척의 배가 남아 있습니다.

그런데 임금에게 인정받기 위해, 혹은 높은 지위를 유지하기 위해 자신이 추구하는 정의가 아님에도 자리에 연연해한다면
잘못된
정책
시행
반대
찬성

그건 군자가 아니야.
?
소인배

큰 뜻과 덕을 지니고 있는데도 좋은 때를 만나지 못하는 경우도 있어.
왜 안 오지? 펑크 났나?
큰 뜻과 덕

또 좋다가도 상황이 나빠져 물러나야 할 때도 있어.
명예퇴직

이때 군자라면, 스스로를 지키고 만족하며 도리를 알고 몸을 보존할 수 있어야 해.
보약
몸 보존

남들이 자신의 능력을 알아주지 않는다고 속상해하거나,
승진
삐뚤어질 테다.
탈락

현재 누리고 있는 벼슬에 연연해한다면 청렴결백을 지키기 어렵지.
소녀를 버리지 마시옵소서.
네가 싫어졌어. 저리 가.
청렴결백
비리
벼슬
뇌물

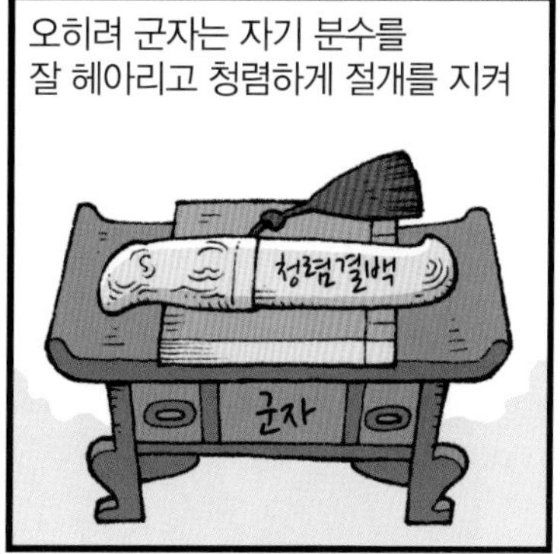
오히려 군자는 자기 분수를 잘 헤아리고 청렴하게 절개를 지켜
청렴결백
군자

천하에 나가 출세하는 일을 달갑게 여기지 않아야 스스로 자신의 가치를 깨끗하게 지킬 수 있어.
형씨, 출세 한번 해 보시겠소? 날이면 날마다 오는 게 아닌데.
이상한 사람이다.
청렴결백
천하

이에 대해 공자는 이렇게 말했어.
말을 교묘하게 잘하고 얼굴빛을 잘 꾸미는 사람은 어진 마음을 찾기 어렵다.
공자 말을 잊지 말았으면 해.
지워
지워

말만 번지르르하게 잘하는 친구는 해로움을 주는 사람이라고 말했지?
말만 번지르르

내게 웃어 준다고, 나를 칭찬한다고, 내게 잘해 준다고 무조건 좋은 친구라고 여겨선 안 돼.
칭찬

오히려 그런 사람을 멀리하라는 의미를 깊이 새겨야 할 거야.

공자는 이런 말을 하기도 했어.

마을 사람들이 모두 칭송하는 사람 중에 근엄하고 너그러운 척하는 사람이 오히려 덕을 해치는 사람이다.

남들이 좋아하는 사람, 너그러운 척하는 사람, 그들을 특히 조심해야 한다는 거야.

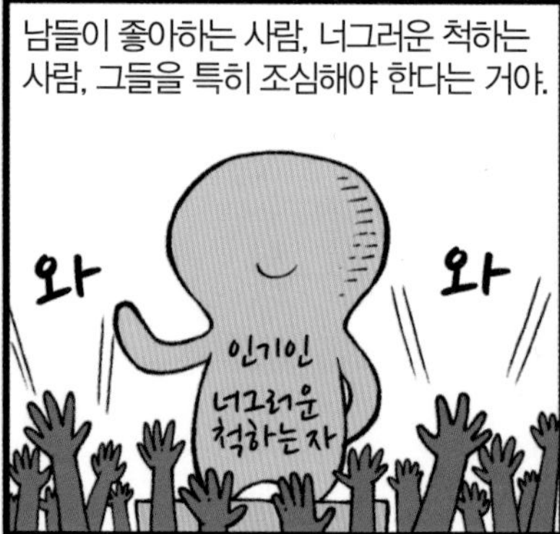
와
와
인기인
너그러운 척하는 자

오히려 그들이 소인배일 수 있거든.

와
와
소인배

이이는 군자와 소인배를 대조해서 다음과 같이 말했어. 군자는 의리에 밝고 소인은 이익에 밝다.

의
군자
리
의리 개나 줘 버려
소인배
₩
이 익

군자는 화합하나 부화뇌동하지 않는다. 소인은 부화뇌동하나 화합하지 않는다.

Yes
Yes
Yes
NO
Yes
Yes
군자
화
합
소인

또 이런 말도 했어. '군자는 두루 사귀면서 편을 가르지 않고 소인은 편을 가르되 두루 사귀지 않는다.'

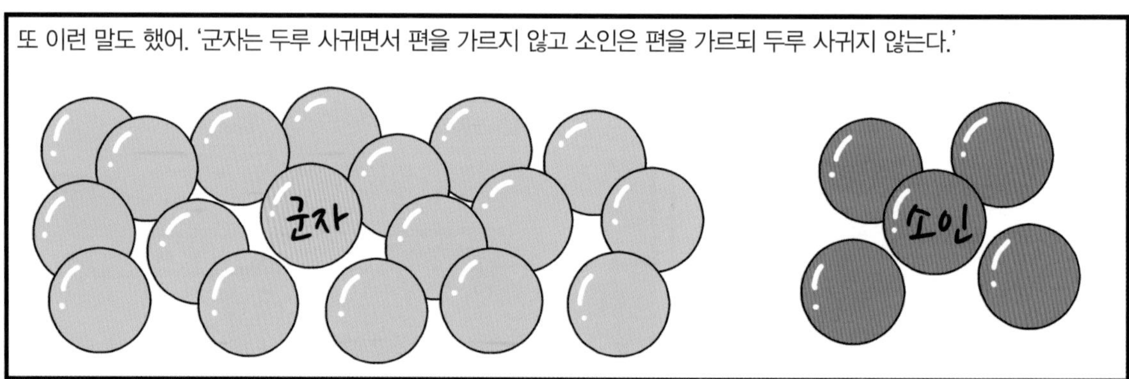
군자
소인

탐욕스럽고 저속하며 아첨하는 것은 소인배의 일상적인 모습이야.

탐욕
소인배
아
첨
저
속

외모만 근엄하고 남의 결점을 들추어 내는 것이 겉보기에는 군자와 비슷하지만

근
엄
군자
남의 결점

사실은 소인배야.

말이 쉽지, 이런 사람을 어떻게 구별할 수 있느냐고?
? ? ? ? ?

물론 어려운 일이야. 그래서 사람을 깊이 관찰하라고 하는 거야.
관 찰

예를 들어 소인에게는 한결같음이 없기 때문에 위기가 닥치거나,
왈! 왈! 왈! 왈!
?
위 기

자신의 이익이 결부될 때 반드시 스스로 소인배라는 것을 드러내.
왈왈왈왈! 왈왈왈 왈왈!
이 익

이런 점을 관찰했다가 때를 놓치지 말고 잘 판단해야 해.
판 단

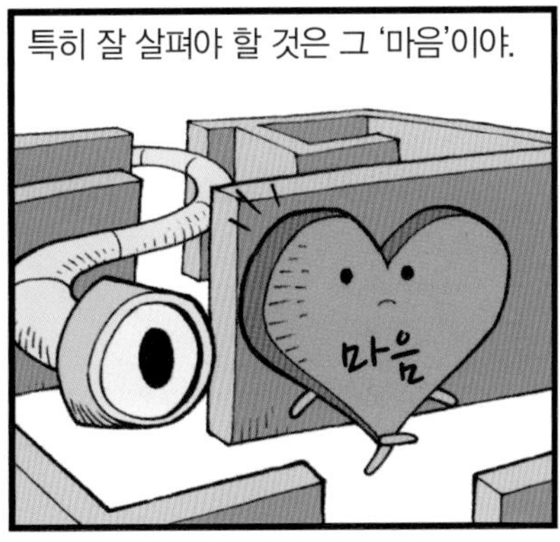
특히 잘 살펴야 할 것은 그 '마음'이야.
마음

어떤 행동을 할 때 자신의 이익만 구하지 않는지,
₩

자신의 영화로움만을 위하진 않는지,
자신의 영화로움

이익의 많고 적음에 따라 친한 사람들과의 의리를 저버리지는 않는지……
이 익

그 마음을 살필 줄 알아야 해.

또한 군자를 알아보기만 하고, 구하지 않으면 안 돼. '좋은 친구로군' 판단해 놓고는 가까이 가서 배우려 하지 않으면 무슨 소용이 있겠어?
….
군자

임금도 마찬가지야. 반드시 인재를 곁에 두려고 노력해야 해.
인재

그래서 《대학》에 이런 글이 있는 거야.

어진 사람을 보고도 등용하지 못하거나,
등용하되 빨리 등용하지 않는 것은 태만한 것이요,
착하지 않은 사람을 보고도 물리치지 못하고,
물리치되 멀리 물리치지 못하는 것은 허물이다.

현명한 사람은 국가의 그릇과 같은 역할을 해.
국가의 그릇
현명한 사람

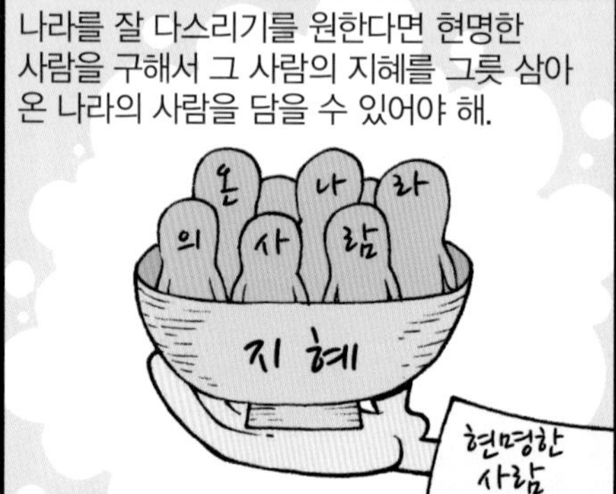
나라를 잘 다스리기를 원한다면 현명한 사람을 구해서 그 사람의 지혜를 그릇 삼아 온 나라의 사람을 담을 수 있어야 해.
온 나라의 사람
지혜
현명한 사람

대표적인 사람으로 《삼국지》에 나오는 *제갈공명을 들 수 있어.
제갈공명

* 제갈공명(181~234): 제갈량, 중국 삼국시대 촉한의 정치가이자 전략가. 자는 공명, 별호는 와룡 또는 복룡으로 불린다.

제갈량은 원래 벼슬에 뜻을 두지 않았어. 와룡강가의 초가집에서 지내면서 은둔하고 있었지.

그런데 유비(161~223, 삼국시대 촉한의 제1대 황제)가 정성을 다해 세 번씩이나 찾아가 자신을 도와 달라고 사정했어.
삼세번.
감히 두 번씩이나 일부러 자리를 비워?

자리를 피하면서 거절하기만 하던 제갈량은 유비가 성심을 다해 계속 찾아오는 데 감동하여

감
동

생각을 바꾸었지.

이렇게 제갈량의 재능과 지혜를 얻은 유비는 나라를 세우고 위기를 헤쳐 나갈 수 있었어.

인재를 얻고자 한다면 자신의 지위나 명예는 잊고 자세를 낮추어야 해. 인재를 등용하기 위해서라면 어떠한 노력도 감수해야 한다는 것을 강조하는 좋은 본보기지.

삼고초려 (三顧草廬) 삼고지례 (三顧之禮)

인재를 맞아들이기 위하여 참을성 있게 노력함.

임금과 신하의 만남, 지도자와 인재의 만남을 우연에만 기댈 순 없겠지?

직접 찾아 나서자.
쿵
쿵

세 번째는 취선(取善)이야. 좋은 것을 취한다는 말이야.

보약

좋은 인재를 만났다면 반드시 인재의 좋은 점을 취할 수 있어야 해.

이제서야 만나다니…
몇 년 사이 팍삭 늙음
좋은 인재
인재의 좋은 점

인재가 좋은 정책을 권하면 빠짐없이 시행할 줄 알아야 해. 그래야 세상을 제대로 다스릴 수 있어.

인재
좋은 정책
좋은 정책

선을 취한다고 할 때 귀천(貴賤, 귀하고 천한 것)의 구별이 있어서는 안 돼.

공
귀
천
평

만약에 지도자가 스스로를 대단하다고 여기고 남을 하찮게 여긴다면 인재가 본래 가지고 있는 선함을 볼 수 없어.

선함

하늘의 진실한 이치는 만 명의 사람들에게 흩어져
하늘의
진실한
이치

만 가지 선을 다 합한 후에 하나의 이치로 밝혀지는 거야.
하 나 의
이 치

그러니 천한 사람이라고 무조건 선이 없다고 할 수 없어.
까악 까악
선이 있어요?
선이 없다

세상을 구하는 지도자가 되려면 한 사람의 지혜에서 선을 얻으려 하지 말고,
선

만 가지 선을 모아 하나로 합할 수 있어야 해.
만
가
지
선

공자는 이렇게 말했어.
군자는 말을 잘한다고 해서 그 사람을 등용하지 않고, 그 사람이 미천하다고 해서 그 말까지 버리지 않는다.

소인배의 말이라도 그것이 진정 선한 말이라면 그 말을 수용하여 세상의 선을 실현하는 데 도움이 되게 하라는 거야.
소인배
수용
성심 성의껏 모시겠습니다.
선한 말

사람이 미천하다고 해서 그 말까지 버린다면 착한 말을 버리는 것이니 안 될 일이야.
착한 말
이렇게 귀한 걸 버리시다니

다른 사람의 선(善)을 취하여 선(善)을 행하는 것은 곧 그 사람이 선(善)한 일을 하도록 돕는 일이야. 성군(聖君)이나 군자에게 있어서 세상 사람들이 선한 일을 하도록 돕는 것보다 더 중요하고 큰 일은 없어.
영차! 영차!
타인의 선

이이는 임금이 선을 좋아하는 진심과 성의가 부족한 것이 문제라고 했어.

귀찮아…
선
임 금
선
선
선

진실로 정의로움과 선(善)을 좋아하고 그렇게 되기를 바란다면 지혜 있는 자들이 하늘의 이치에 따라 임금 주변에 모여들어서 그 도를 행하려고 할 거야.

선
임 금

하지만 임금이 말로만 선을 좋아하고 진실로 선을 행하지 않는다면 뛰어난 인재들이 훌륭한 계책을 모아 내놓더라도 소용이 없겠지.

훌륭한
계책들
선 화물

마치 여러 인재들이 난초의 향기라고 가르쳐 줘도 임금은 홀로 악취라 생각하고,

이건 난초의 향기옵니다.
윽! 이런 악취를…

숯을 보면서 희다고 생각한다면,

흰 숯이다.

임금 혼자 깊은 우물 속에 빠져 있는 격이야. 이럴 경우 수많은 인재들이 무슨 소용이 있겠어?

거기 누구 없소?
나 좀 꺼내 주시오!

아무리 성심으로 인재를 등용하여 그들에게서 지혜를 듣는다 하더라도 그 인재들은 뒤도 돌아보지 않고 떠날 거야. 인재는 얻기도 힘들지만 오랫동안 곁에 머물게 하는 것도 쉽지 않은 일이거든.

Goodbye!

임금 스스로 선을 좋아하고, 그 선을 실천하는 것 말고는 다른 길이 없다는 걸 알았으면 해.

실천
선

11장

위정(爲政) 편 - 식시무(識時務)·입기강(立紀綱)·안민(安民) 외

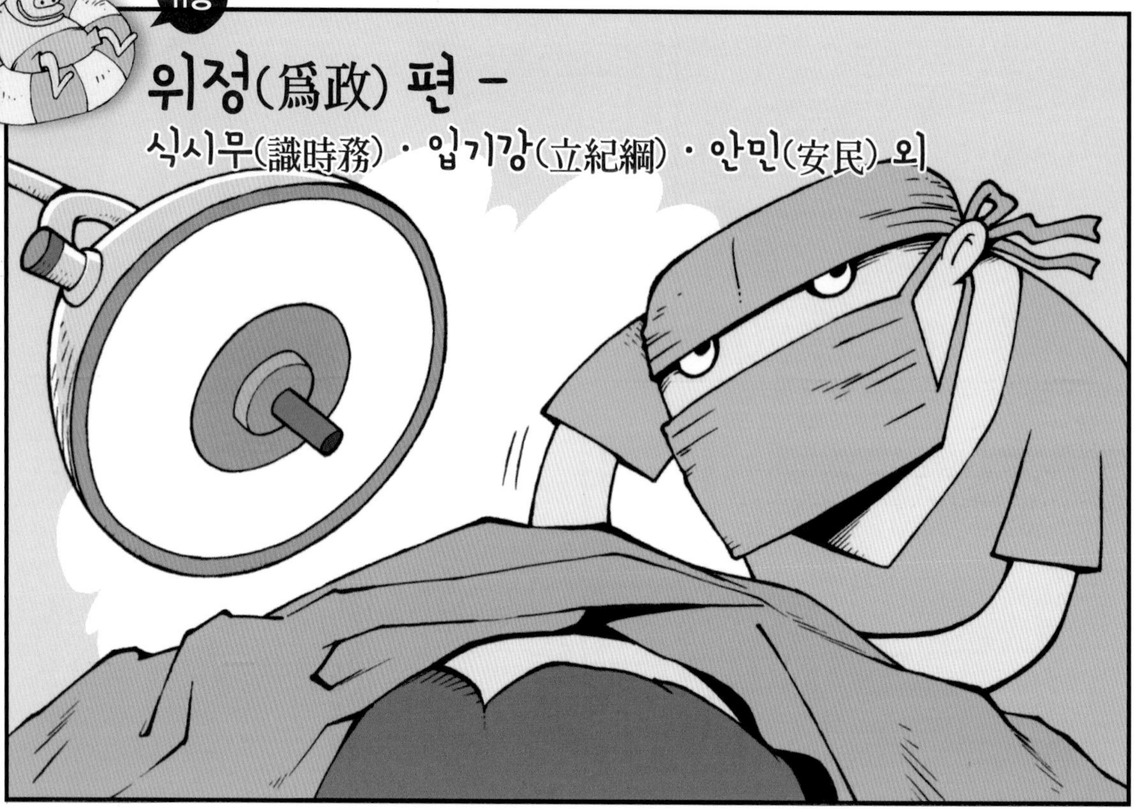

식시무(識時務):
시급함을 알아라

훌륭한 인재를 얻었다면 나라를 위해 시급히 바꿔야 할 것들이 보일 거야.
수술실

대통령이 선출되면 개혁이나 혁신이라는 이름으로 정책을 시작하지?
척
개혁
대통령
혁신

이미지 변화를 시도하려는 의도도 있지만 만연되어 있는 병폐들을 살핀 결과라고도 할 수 있어.
병폐

대부분의 사람들은 기존의 것이 나쁘다 하더라도 오랜 습관에 젖어 개혁을 반대하기도 해.
아직 쓸 만해.
척
개혁
반대
세력

그렇다고 물러서면 지도자의 역할을 다하지 못한 거야.
개혁

바꿔야 할 것이 있다면 빨리 힘을
다해 바꿔야 해.
NEW
OLD

필요한 일을 찾아 반드시 성취해
내는 적극성도 필요해.
성
취
적극성

공부에도 핵심이 있듯이 정치에도
핵심을 고치지 않으면 안 돼.
탁
정
치
핵
심

만약 문제가 있는 핵심은 내버려 두고
자질구레한 말단의 것들만 손본다면
나라를 제대로 세울 수 없어.
손봤다.
핵
심
NEW
OLD

주자는 '어려운 세상이란 군자가 뭔가 할 일이 있을 때다'라고 했어.
멈춰라.
누구임?
군자
어
려
운
세
상

군자는 어려운 세상을 구원할
지혜를 실천해 변화와 개혁을
이뤄 내야 해.
난 세상을
구원할
자이다.
실천
지혜

그런데 개혁이란 무엇일까?
나라가 물질적으로 풍요로워지면
중요한 가치들을 잃어버리기 쉬워.
냄새나.
저리 가.
김치
나라

아무리 좋은 법이라도 시간이 지나면
이를 악용하는 사람들이 늘어나고
빈틈이 생기지.
법대로 해.
가족보험
사기단

좋은 게 좋은 거라고 편안함을
추구하며 옛 습관만을 고집하면
안 돼.
빠른 길로
가자.
옛 습 관

아무리 좋은 제도라도 시간이
지나면 구멍이 생기는 법이거든.
좋은
제도

가만히 있다간 언젠가 나라에 위기가
찾아올 거야.
나라

이이는 현명한 임금이라면 결연히 일어나 법도와 기강을 세워야 한다고 했어.

30
어린이 보호 지역

임금은 게으름을 없애고 더럽혀진 곳을 찾아 바꾸려는 개혁의 의지와 힘이 있어야 해.

W.C

개혁을 추진하지 않는다면 마치 병에 걸렸는데 약을 먹지 않고, 병석에 누워서 죽음을 기다리는 모습과 다를 바 없어.

죽을 날
D-4

문제가 있다는 걸 알면서도 잊어버리려 한다면 그 악(惡)은 전체로 퍼져 나갈 거야.

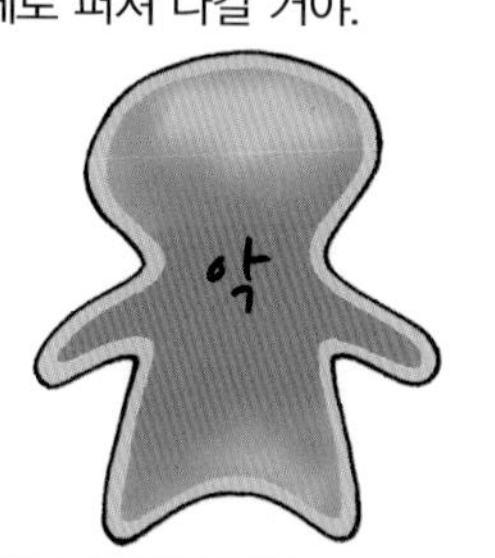
악

그루터기에 앉아 토끼가 달려오기를 기다리는 농부가 된다면 곤란해.

수주대토

지도자가 개혁을 통해 적극적으로 얻으려 하지 않고 저절로 문제가 해결되기만을 바란다면 큰일이야.

언젠간
떨어지겠지.
개혁

악행(惡行)과 구습(舊習, 오래된 낡은 풍습)도 개혁해야 해.

개혁
악행 · 구습

눈앞에 보이는 나쁜 일이 아직 심하지 않다고 해서 개혁을 미룬다면

앞으로 다가올 뜻밖의 화에 제대로 대처하지 못해 결국 커다란 재앙을 맞이하게 될 거야.

부우웅
으아
아아

만약 개혁해야 할 대상이 사람이라면, 그것이 소수라 할지라도 생명을 앗아가면서까지 개혁하는 건 바람직하지 않아.

개혁

다시 한 번 깊이 생각해야 해. 옛말에 이런 말이 있어.

지도자는 이 말을 가슴 깊이 명심해야 해.
한 가지 의롭지 않은 일을 행하고, 한 사람의 죄 없는 자를 죽여서 세상을 얻어야 한다면 절대 하지 말라.

법선왕(法先王):
선왕의 법을 존중하라

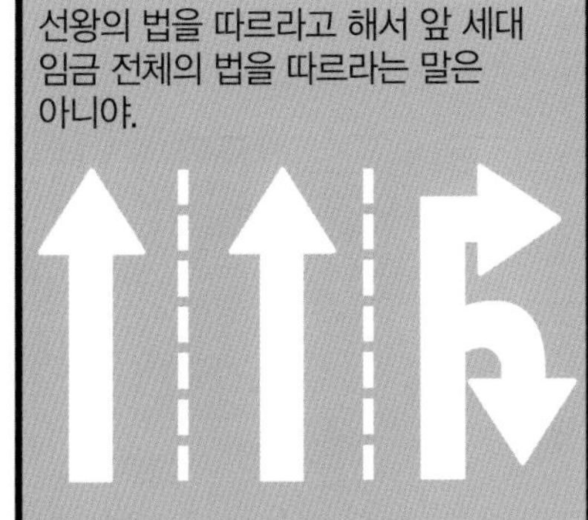
선왕의 법을 따르라고 해서 앞 세대 임금 전체의 법을 따르라는 말은 아니야.

선왕은 대대로 훌륭한 성군(聖君)이라고 칭송받는 임금을 가리키는 말이야.
세종 대왕

시대가 바뀌고 사람이 바뀌어도 본질적 가치는 항상 존중받아야 된다고 생각해.
존중
선왕의 법

시급한 일을 처리하느라 대대로 칭송받는 선왕의 정치를 재현해 내지 못한다면 밝은 도리를 모두 펼친 것이라고 할 수 없어.
선왕의 정치
재현

어떤 이는 과거의 법은 무조건 적절하지 않다고 하는데, 그것은 어리석은 자들의 말이야.
적절치 않아.
과거의 법
NO!
현재 법

구태의연한 것을 없애는 건 당연해.
선왕의 법
구태의연한 법

하지만 옳고 밝은 법조차 과거의 것이라고 무시해선 안 돼.
큰코다쳤다.
과거의 옳고 밝은 법

옛날의 바른 도(道)마저 무조건 비난하고 헐뜯는 것은 저속한 사람들이나 하는 일이야. 저속한 사람들은 과거의 도를 회복시키려고 하면 불안해하고, 사리와 시대에 안 맞는다고 불만을 터트리거든.

길을 열어라.

못 연다. 어쩔래?

바른 도

불안

부정

불만

이이는 임금이 선왕의 도를 따르고자 해도 그 뜻을 실행하기는 쉽지 않다고 했어.

선왕의
도
불만
세력

그럴수록 임금은 옳다고 믿는 것에 확신을 갖고 어진 인재를 깊이 살펴야 해.

인
재

선왕의 다스림을 회복하는 데 강한 의지를 표명한다면 어리석은 신하들은 발디딜 곳을 잃게 될 거야.

크엉!
강한
뜻

이이는 선왕의 도를 회복하기 위해서는 다음 네 가지를 철저히 시행해야 한다고 말했어. 첫째, 임금이 조용히, 깊게 생각해서 결단할 것.

옳고
그름
……

둘째, 학문이 밝고 행실이 고고한 선비를 찾을 것.

인 재

셋째, 그가 재주와 성의를 다하여 보좌하게 할 것.

도로 주행
긴장
푸시고.
성 의

넷째, 해마다 조금씩이라도 성과를 거둘 것.

목
표

이런 노력과 과정이 있어야 비속한 사람들의 얕은 생각이 끼어들지 못해. 의심하고 비난하던 자도 차츰 믿고, 복종하게 될 거야

앉아.

무엇보다 중요한 것은 미루거나 양보하지 않겠다는 의지를 보여 주고

137
마라톤대회

한 단계씩 반드시 추진하는 거야.

1 3 5
R 2 4

계율
근천계(謹天戒):
하늘이 내려 준 계율을
조심스럽게 지켜라

임금이 하늘을 섬기는 것은 마치 자식이 부모님을 섬기는 것과 같아.

임금은 하늘에 대한 경건함을 잃지 말고 이에 소홀함이 없어야 해.
경건함

나라의 기틀이 닦였다고 자만하지 말고, 하늘을 공경하고 두려워하는 마음을 느슨하게 해서는 안 돼. 하늘은 공평해서 선한 사람에게는 반드시 복을 주고, 음탕한 자에게는 재앙을 내려.
석양의 무법자
나쁜 놈
착한 놈
추한 놈

《시경》을 보면 다음과 같은 글이 있어.
높은 하늘은 지극히 밝아서
네가 가는 곳은 어디나 다 살피고,
높은 하늘은 지극히 밝아서
네가 방종하게 노니는 곳을 다 살핀다.
시경

하늘의 위대함이 미치지 않는 곳이 없으니 언제 어디서나 조심하라는 말이야.
음…. 항상 조심해야겠군.

사람이란 하늘과 땅의 중심이야.
하늘
중
심
땅

임금이 선정(善政)을 베풀면 온 세상에 환한 기운이 돌 거야.
백성을 위한 정치
백
성

하늘이 이것을 보고 감동을 하면 땅에 상서로움이 깃들게 돼.

그와 반대로 임금이 도리에 어긋나는 행동을 저지른다면
도리

어지러운 기운이 하늘에 미쳐 반드시 재앙이 일어나는 법이야.
재앙

하늘이 내리는 상이나 벌 등은 모두 자기 스스로가 부르는 거야.
얘들아 이리 와!
자기가 오면 되지, 어디서 오라 가라야.

사람들은 운 좋은 일이 일어나면 자기 덕분이라 하고
웬 횡재. 다 나의 능력 덕분.
내 돈?

나쁜 일이 생기면 재수가 없었던 것뿐이라고 핑계를 대지.
에이, 재수가 없군.
씩
씩

어진 임금이라면 재앙이 닥쳤을 때 자신의 부덕함을 탓하고, 자기 주변부터 반성하고 성찰해야 해.
다 내가 부족한 탓이야.
못난 놈. 못난 임금.
찰싹
찰싹

그렇게 한다면 아무리 큰 재앙이 닥쳐도 이를 이겨내며 오히려 위기를 기회로 바꾸는 계기가 될 거야. 이런 걸 전화위복(轉禍爲福, 재앙이나 나쁜 일이 오히려 복이 됨)이라고들 하잖아?
크앙!
나쁜 일
재앙
뿔뿔이 흩어져 있던 마음이 오랜만에 하나로 뭉쳤다.

나쁜 사건이 일어났을 때 하늘을 원망하거나 다른 사람을 탓하지 말고,
다 당신 때문이야!

하늘 앞에 부끄러운 건 없는지 깊이 반성하고, 이를 고칠 수 있는 계기로 삼아야 해.
다 제 탓입니다.
반 성

비겁하고 어리석은 임금은 평화로워 보이는 겉모습만 믿어.
너무 평화로워 심심… 아하아함~
메~

그래서 나라의 위기나 혼란의 원인을 보지 못하고 하늘에 대한 공경심마저 잃게 되지.
어디?
어디?
늑대가 나타났어요~ ×2

그럴 때 반드시 재앙이 닥친다는 것을 알아야 해.
어머나! 늑대가 나타났어요!
흥! 안 믿어.
재앙!

지도자가 하늘의 계율을 지킨다는 것은 그 마음이 백 퍼센트 순수해야 가능한 일이야.
안녕~
안녕~
B612

하늘이 두렵다 말하면서 마음으로 조심하거나 반성하지 않는다면 오히려 하늘의 노여움을 사게 될 거야.
노여움

보통 사람은 근심거리가 눈앞에 나타나야만 비로소 근심과 걱정을 시작해.
조금 있으면 나 터진다.
터진대, 어떡해, 어떡해.
근심 걱정
근심거리

하지만 임금의 지위에 있는 자라면 나라가 한가하더라도 미리 덕스러운 정치를 닦으며 환난을 막을 방도를 찾아야 해.
놀면 뭐 해.

그것이 평화로움을 오래 유지할 수 있는 방법임을 알아야 해.
환난

사람들은 재난이 일어나면 깜짝 놀라 그제서야 허둥지둥 잘못된 것을 찾아 고치려고 해.
원인 분석.
허둥
지둥
재난

그런데 이런 일이 반복되면 사고에 익숙해져 두려움조차 대수롭지 않게 여겨.
나 터진다?
그러시든가.
재난

요사스러운 기운이 작고 천천히 올 때 빨리 반응해 재난을 피해야 해.
싹
뚝
재난
요사스러운 기운

소 잃고 외양간 고친다는 말이 있어.
아이고, 내 소!
쉿!

무언가 일이 터지고 나서 후회하지 않도록 미리미리 준비하는 게 좋아.
후회

설령 일이 터진 이후라도 다른 소를 위해서 외양간은 고쳐야 해.
너마저 잃을 순 없어.
뚝딱
뚝
딱

그렇지 않으면 점점 더 큰 사고와 그에 따른 피해가 생길 수 있거든.
제대로 고치지 않았더니 송아지마저 잃었군.

입기강(立紀綱):
기강을 세워라

훌륭한 의사는 사람이 야위거나 살찐 것을 보지 않고도 그 맥을 짚어서 병이 있나 없나를 살피지.
허준
변비

마찬가지로 세상을 경영하는 자는 세상 사람들이 편안한지 위태로운지를 보지 않고
기
강
나라

그 나라에 기강이 세워져 있는가를 보고 나라의 운명을 알 수 있어야 해. 그것이 가장 근본이기 때문이지.
나 라
기
강
근
본

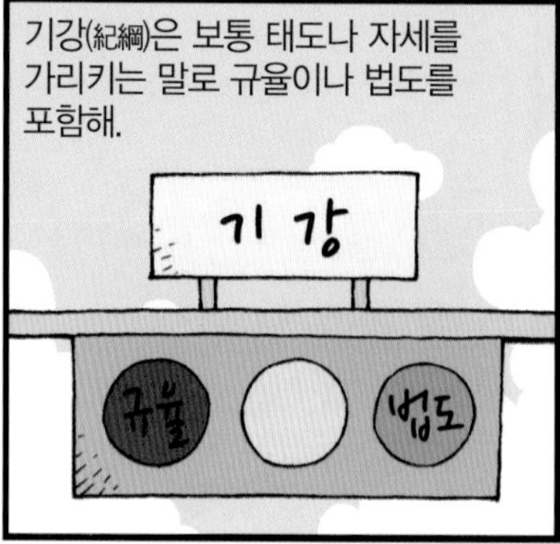
기강(紀綱)은 보통 태도나 자세를 가리키는 말로 규율이나 법도를 포함해.
기 강
규율
법도

어떻게 해야 기강이 바르게 서는 걸까?
삐
딱
기 강

공자는 기강에 대해 이렇게 말했어.
하늘은 사사로이 덮어 주는 것이 없고,
땅은 사사로이 실어 주는 것이 없다.
해와 달은 사사로이 비추는 것이 없다.
이 세 가지를 받들어 세상을 다스리는 것을
삼무사(三無私)라고 한다.
天無私覆 地無私載 日月無私照
(천무사부 지무사재 일월무사조)
奉斯三者 以勞天下 此之謂 三無私
(봉사삼자 이노천하 차지위 삼무사)
《예기》〈공자한거(孔子閑居)〉편

임금은 삼무사(三無私)를 지켜야 해. 사사로움이 없어야 한다는 뜻이야.
공
평

마음을 공명정대(公明正大)하게 하여 당파를 짓거나 척(斥, 물리칠 척)을 지는 사람이 없어야 사사로움을 없애고, 기강을 세울 수 있어.
세웠다.
기
강
공명
정대

임금도 사람이기 때문에 개인적인 감정을 갖지 않을 순 없어.

보는 사람 없지?

개인 감정

임금 혼자 힘으로는 사사로움을 떨칠 수 없기 때문에 반드시 어진 신하를 가까이 두고 소인배들을 멀리해야 하는 거야.
흥! 자기들끼리 논다 이거지?
어진 신하
소인 배

세상을 통치하는 임금에게 사사로움이 있어서는 절대 안 돼.
공평하게 하나씩.
공평

땅에 피어 있는 풀 한 포기조차 임금의 땅이 아닌 곳에서는 피어나지 않아. 임금은 나라 전체를 살펴야 한다는 말이지. 그러니 어떤 풀을 더 예뻐하거나 미워해서는 안 돼.
골고루 주자.

사사로움을 가까이하면 한쪽으로 기울어진 생각이 점점 커지게 되어 있어.
푸~
사사로움

특히 자기 편이라고 믿는 집안 사람들은 가까이 중용하지 않는 것이 좋아.
가족·친척
중요한 자리

집안 사람을 등용시키면 가신(家臣, 사인(私人))을 두게 되고, 사심(私心)으로 집안 사람을 쓰면 사비(私費)가 들게 되지.
집안 사람 등용
사 심
가신
사비

그러다 보면 나랏일에 필요한 경비를 줄이게 되고,
예산
나라
나랏일 경비 지출

남는 예산을 개인적으로 챙기고 싶은 마음이 생기는 거야.
예산
나라
콸 콸
사재

모든 일의 폐단은 이런 사사로움에서 나오는 거지.
폐 단
개인 적인
감 정

기강은 국가의 원기(元氣, 마음과 몸의 원동력으로 만물이 자라는 데 근본이 되는 기운)와 같은 거야.

기 강
CRUISE SHIP

원기가 견고하지 않으면 온몸의 근육과 뼈가 느슨해지고 허물어지는 것처럼

기 강
CRUISE SHIP

나라의 기강이 세워지지 않으면 만사가 무너지는 법이야.

기 강
CRUISE SHIP

이 같은 기강의 중요성을 알면서 정작 기강을 세우는 방법을 아는 사람은 드문 것 같아.

저걸 어떻게 세우지?

호연지기(浩然之氣)가 한두 번 자연 속으로 여행을 떠난다고 생기는 게 아닌 것처럼,

기강을 세우는 일도 한 가지 명령이 효과를 봤다고 해서 되는 일이 아니야.

똑바로 서.
기강!
기강

하지만 기강이 무너지는 것은 쉽고 또렷하게 보여.

기강

임금에게 나라를 다스리려는 밝은 의지가 없고, 신하들은 벼슬을 유지하려고만 한다면,

깨우지 마.
ZZZ
신하
본드
벼슬

또 착한 사람을 보고도 등용하지 않고 악한 사람을 보고도 물리치지 못한다면,

문 좀 열어 주세요.
등용
악인
선인

공이 있는 사람에게 상을 주지 않고, 죄 있는 자를 처벌하지 못한다면 백성들은 임금이 기강을 세우려는 뜻이 없다고 생각할 거야.

성추행범을 잡았는데 상은 못 줄망정 나를 죄인 취급하다니, 이런 경우가 어딨어?

우리 아버지야. 킥킥

법

혀 끝으로는 기강을 세우자고 말하면서 행동이 따라 주지 않는다면

나불 나불
ZZZ
기강을 세우자
실천

마치 고질병에 걸린 사람이 좋은 약을 가지고 오라고 해 놓고 정작 목구멍으로 넘기지 않는 것과 같아.

좋은 약
목구멍

안민(安民):
백성을 평안케 하라

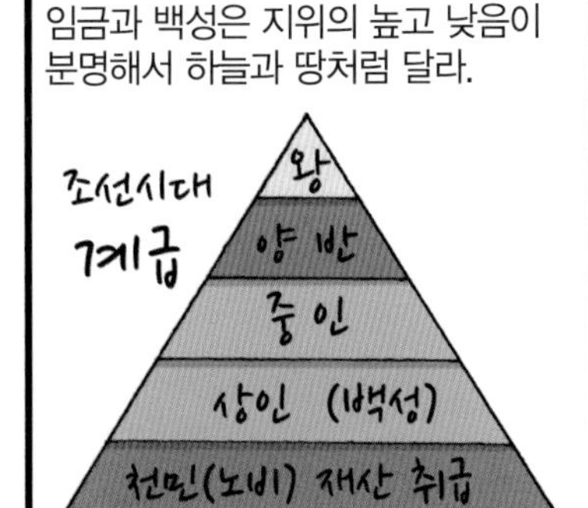
임금과 백성은 지위의 높고 낮음이 분명해서 하늘과 땅처럼 달라.
조선시대 계급
왕
양 반
중 인
상인 (백성)
천민(노비) 재산 취급

임금과 백성의 관계는 마치 신체의 각 부분이 서로 돕고 유지하는 것과 같아.
머리
눈
코
귀
입
어깨
손
손목
목
가슴
무릎
엉덩이
발
발목

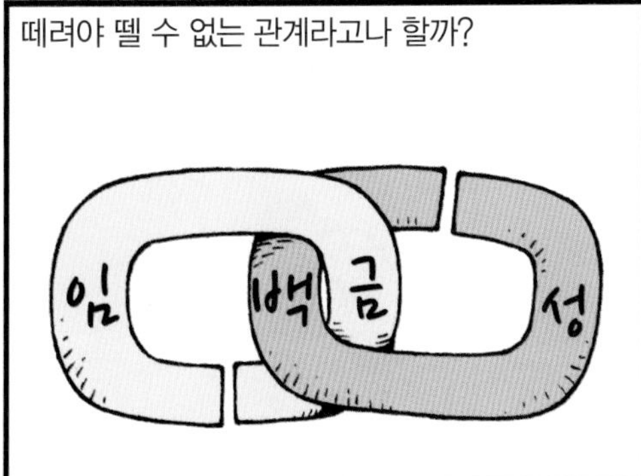
떼려야 뗄 수 없는 관계라고나 할까?
임금
백성

이이는 백성을 국가의 근본이라고 했어. 근본이 견고해야 국가의 안정이 오는 거야. 근본이 튼튼하지 못하면 강대함과 부유함이 오래가지 못해.
강대
부유
백성
국
가

끝내 멸망하게 된다는 말이지.
멸망

백성은 어린 아기와 같아. 갓난아이는 바라는 바가 있어도 스스로 말을 할 수 없잖아?
으아앙
말을 해야 알지.

자애로운 어머니만이 그 아기의 마음을 살펴 읽을 수 있어.
자애

어머니가 말도 못하는 아이의 마음을 어떻게 읽는 걸까? 바로 진심으로 아이를 살피기 때문이야.
많이 배고팠구나.

진심이 있으면 딱 들어맞진 않아도 크게 어긋나는 일은 없어.
배고픈가 보군.

사랑과 정성으로 대하면 그 속내를 읽을 수 있거든.

《서경》은 백성과 임금의 관계를 이렇게 적고 있어.
사랑해야 할 대상이 임금이고, 두려워해야 할 대상은 백성이다.
백성이 임금을 받들지 않으면 누구를 떠받들 것이며,
임금은 백성이 아니면 누구와 나라를 지킬 것인가.
그러므로 임금은 신중히 하고 삼가야 한다.
서경

임금이 백성을 살리기 위해 백성을 부린다면 백성들은 그 일이 힘들어도 원망하지 않을 거야.
백성
백성을 위한 일

또 백성을 살리기 위해 한 일이라면, 설령 백성이 죽더라도 백성들은 임금을 원망하지 않아.
내가 너무 혹사시킨 거야, 흑흑.
원망 안 해유
백성을 위한 일

하지만 그 반대라면 다르겠지.
혼자 먹어야지~ 맛있겠다.

백성을 위하는 일이라고 생각되면 빨리 실행에 옮겨야 해.
딸깍
환하다.

임금은 마치 목마르고 배고픈 자가 음식을 대하는 것처럼 옳은 길을 가야 해.
생수

용기 있는 결단만이 불의에서 빠져나와 스스로를 새롭게 할 수 있어.
아 자~
불의

이이는 임금이야말로 수신(修身)으로부터 치국(治國)에 이르기까지 지혜와 인자함 그리고 용기를 갖춰야 한다고 했어.
지혜
인자함
용기
수신
제가
치국

지(智, 지혜)로써 알고 인(仁, 어질다)으로써 행하며, 용(勇, 용기)으로써 결단해야 하기 때문이지.
인
용기
지혜
전하~, 밤마다 뭐하는 짓이옵니까? 제발 그만하시고 내려오시옵소서. 위험하옵니다.

교 육
명교(明敎):
교육을 널리 밝히다

백성을 부유하게 했다면 다음은
가르치는 것에 힘써야 해.
교 육

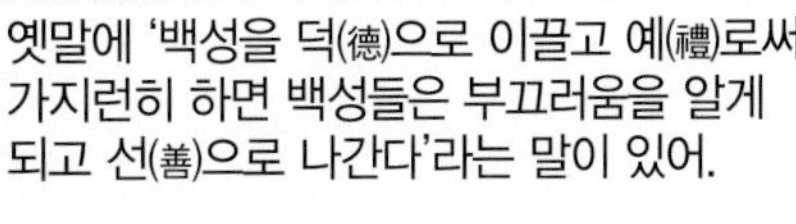
옛말에 '백성을 덕(德)으로 이끌고 예(禮)로써
가지런히 하면 백성들은 부끄러움을 알게
되고 선(善)으로 나간다'라는 말이 있어.

옛말

풍속을 바르게 하려면 제대로
가르치는 일이 선행되어야 해.
어떻게
하는 거지?
풍
속

백성을 교육할 때 가장 먼저 신경
써야 할 것은 누가 가르치느냐야.
인
재

백성을 가르치는 이는 반드시 어진
인재여야 해.
인
재

임금이 좋은 인재를 찾았다면
정치를 잘 하도록 돕는 역할도
중요하지만,
정치

후학을 양성하고 백성들을 교화하는
일을 맡도록 여건을 만들어 줘야 해.
여
건

임금은 재주와 식견이 밝고 선(善)을
실천하는 인재를 잘 골라 그가 날마다
가르칠 수 있도록 기회를 줘야 해.
기
회
교 육

마을에서 우수한 선비를
추천받아 학교에 입학시키고,
학
교
환 입학 영

그다음에는 중앙에 있는 상급 학교로
최상의 교육을 받을 수 있도록
도와야 해.
대
고
중
초
최 상 의 교 육

중앙의 국립 학교에서는 해마다
어질고 재능 있는 자를 추천받아
인재를 선발해야 해.
추 천 서

백성을 가르칠 인재를 추천할 때 가장 중요한 기준은 성품과 행실이야.

성 품 행 실

집에서는 효도와 우애를 실천하고 염치와 예의가 있으며, 또한 학업과 정치의 도리에 통달한 사람을 뽑아야 해.

예의
학업
정치의 도리
염치
우애
효도
통달

스승이 될 자격을 갖춘 인재를 찾았다면 후한 예우로 그를 초청해 데리고 와야 해.

초청장

그런 다음 유생들을 서울에 모이게 해서 널리 가르치도록 해야 해.

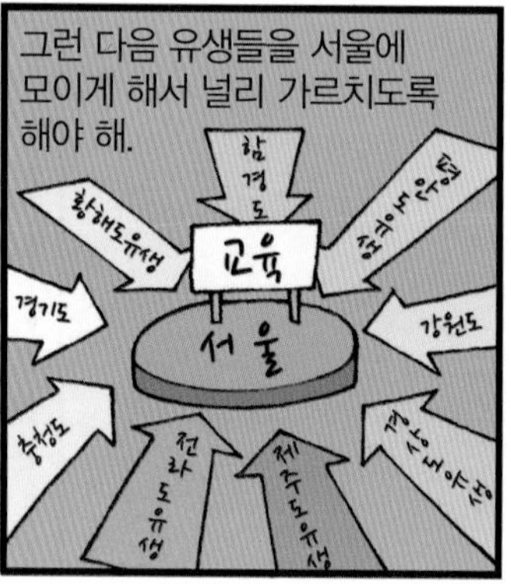

함경도
황해도유생
충청도유생
경기도
교육
강원도
서울
충청도
전라도유생
제주도유생
경상도유생

학문이 밝고 덕행이 높은 사람이 세상 사람들을 널리 교화하고 많은 학생들을 가르칠 수 있는 좋은 스승이 되도록 환경을 만들어 줘야 해.

교 육 환 경

가르치고 배우는 일에는 순서가 있어야 해.

1
2
3

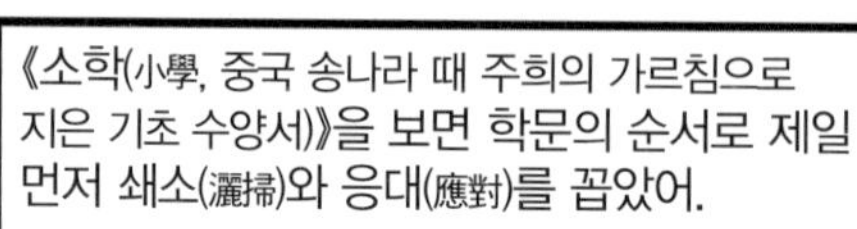
《소학(小學, 중국 송나라 때 주희의 가르침으로 지은 기초 수양서)》을 보면 학문의 순서로 제일 먼저 쇄소(灑掃)와 응대(應對)를 꼽았어.

학문의 단계
쇄소와 응대
소학

쇄소(灑掃)란 '물 뿌리고 쓸다'라는 뜻이야. 또 응대(應對)라는 것은 남에게 인사하는 것을 의미해.

이리 오렴.
예.

공부하라고 하면 무조건 책부터 펴는데 그건 아닌 것 같아.

공부 시작하겠어요.
BOOK

머릿속이 복잡하고 지저분한 환경에서는 집중하기 어렵거든.

배움의 첫걸음은 자기 주변을 깨끗이 쓸고 청소하는 것부터 시작해야 해.

흥얼~
흥얼~

위정공효(爲政功效):
올바른 정치의 효과

임금이 정치에 소홀함이 없다면
세상은 반드시 변화와 감동이
생길 거야.
변화
좋은 정치
감동

그리고 그 영향은 후대에까지 이어지지.
세종대왕

정치의 효과는 이렇게
필연적이고 강력한 거야.

성인으로서 할 수 있는 일 중에 이보다
더 중요한 게 있을까? 근본을 탄탄히
다져서 이를 순서대로 실천한다면
효과를 볼 수 있어.
효과

마치 길 가는 사람이 쉬지 않고
걸으면 언젠가 목적지에 도달하게
되고,

배고픈 사람이 계속 먹으면 언젠간
배부르게 되는 것처럼 말이야.
꺼어억~

은혜와 덕으로 정치를 한다면
그 효과는 후대까지 이어질 거야.
후대
좋은 정치

그러니 염려하지 말고 열심히, 좋은
정치를 해야 해.
좋은 정치
효과

누구든 처음에는 서툴고 실수가
많아.

하지만 참고 계속 열심히 하면 점차
익숙해지고 정교해질 거야.

꾸준히 한 걸음씩 발을 내딛는 것이
목표에 도달하는 유일한 방법임을
잊지 말기 바라.

12장

성현도통(聖賢道統) 편

임금의 도리를 설명할 때 인용한 공자나 맹자의 말들은 모두 기원전 시대의 말들이야.

공자의 말
맹자의 말
BC

물질이 풍요로운 이 시대에 까마득한 옛날에 살았던 성인들의 이야기를 하고 그들처럼 살자고 하면, 거부감을 가지는 이들도 많을 거야. 하지만 그건 그들이 우리보다 미개하게 살았다는 생각에서 나오는 오해야.

먹어 봐.
성인들의 말
아저씨나 먹어요.

현대 철학의 근본이라고 할 수 있는 삶에 대한 본질적인 물음들은 모두 기원전 철학자들의 지혜에서 나온 것임을 알아야 해.

너 자신을 알라.
현대
Bc

서양 철학의 아버지라고 할 수 있는 소크라테스와 플라톤도 공자, 맹자와 비슷한 시대에 활동했던 사람들이거든.

Bc
공자 551~479
소크라테스 469~399
플라톤 427~347
맹자 372~289

성인(聖人)들의 역사를 되짚어 보고 인간의 정신 문화의 뿌리가 얼마나 깊고 견고한지 알았으면 좋겠어.
인간의 정신 문화
성인들의 역사

그리고 인간이 지켜야 할 근본 가치가 무엇인지 생각하는 기회를 가졌으면 해.
근본 가치

물질 문명이 발달하기 전에 인간의 정신 세계는 확립되었어.
정신문명

그것은 2천 5백 년이 지난 지금도 우리 생활에 영향을 미치고 있어.
2500년
정신문명
현재

물론 시대가 변함에 따라 달라지는 것도 많아.
BEFORE
AFTER

하지만 '어떻게 살 것인가'와 같은 인간의 본질에 대한 논의는 지금도 유효해.
어떻게 살 것인가?
논
의

인간이 태어나서 백 년 정도밖에 못 사는 것을 생각하면, 수천 년 동안 내려오는 성인의 가르침은 대를 이어 오면서 확실하게 공인받은 가치라고 할 수 있어.
성인의 가르침
인증
100
100
수천 년

앞으로 어떻게 살 것인가? 라는 문제로 고민하고 있는 친구들이 있다면, 성인의 말씀을 믿고 따르는 것이 어떨까?
툭툭
성인의 말씀
어
떻
게
살
것
인
가

많은 시행착오를 줄여 줄 수 있을 거야.
성인의 말씀
시행착오

그래서 마지막 장에서는 도의 전통, 즉 도통(道統)을 정리했어.
도통
정리

옛 성인의 말씀을 인용할 때마다 그들이 누군지 궁금했다면 찬찬히 읽으며 정리해 보도록.
정리

인간이 모여 살기 시작했을 때는 지도자도 없고 규율도 없었어.
탕 탕
무
법
자
탕

동물적인 본능에 충실한 생활을 했지.

그러다가 수렵과 농사짓는 법을 가르친 성인이 나타났어.
성 인

백성들은 지혜로운 성인의 가르침에 힘입어 점점 생활이 넉넉해졌어.
백성

성인이 곧 지도자이자 임금이었기 때문에 사람들 사이에 다툼이 있을 때마다 해결사 노릇을 자처했지. 또 백성들이 궁금해할 때마다 잘 가르쳐 주었어. 사람들은 임금의 가르침을 진심으로 따랐어.

해결
성인
가르침

비록 물질은 풍족하지 않았지만 임금은 민심(民心)이 있는 곳에 천명(天命)이 있다고 믿고 백성을 열심히 돌보았어.
딸랑
까르르
딸랑

덕분에 백성들은 태평한 시절을 보낼 수 있었어.
태
평

임금이 된 성인은 많은 백성의 무리가 자기를 따르는 것을 보고 더욱 노력해서 군사의 힘을 키우고 적들의 침입을 막기 위해 애를 썼어.
에고... 힘들어.

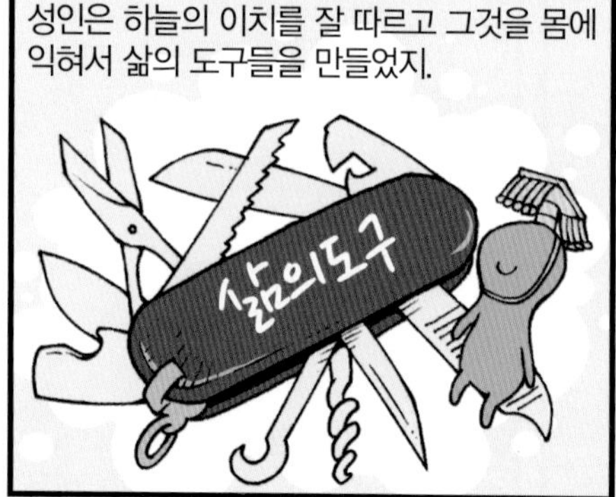
성인은 하늘의 이치를 잘 따르고 그것을 몸에 익혀서 삶의 도구들을 만들었지.
삶의도구

백성들은 집과 의복과 음식 그리고 살림에 필요한 도구들을 갖추기 시작했어. 생활에 필요한 것을 하나씩 손에 쥐게 되면서 생활은 점점 편안해졌지.
편안함
아~편하다...

성인은 생활이 넉넉해지면 선함이 흐트러질 수 있다는 것을 알았어. 그래서 항상 백성들에게 그것을 경계하도록 했지.
삑
삑
악
선

삶이 편안하다고 배움과 가르침을 주고받지 않으면 인간도 짐승과 다를 바 없다고 생각했어.
인간들이 사는 집에 웬 짐승이 사는데?
어디? 어디?

성인은 백성들에게 하늘의 이치를 밝히고 사람답게 살아야 한다고 가르쳤어.
물어와
하늘의 이치
사람답게 사는 법

또 백성들에게 사람 사이에 꼭 지켜야 할 아름다운 도리를 가르쳤어.
물어와
사람 사이에 지켜야 할 도리

그는 인간 사이에 가장 기본이 되는 관계인 부자(父子), 군신(君臣), 부부(夫婦), 장유(長幼), 붕우(朋友) 사이의 도리를 정리하고 가르쳤어.
똑바로.
툭
툭
부자
군신
부부
장유
붕우
오
륜

시간이 흘러 사람의 숫자가 늘어나고 사회 규모도 커졌어.
인구 폭발
사회 규모

성인은 이에 맞는 제도와 규범을 만들어 널리 알렸어.
S
제도
규범
S

그런데 선함을 드러내는 맑고 탁함의 정도가 사람마다 달랐어.

어떤 이는 현명하고 또 어떤 이는 어리석었지.
찰
칵
현
명함
어리
석음

성인은 사리 판단이 어두운 사람에게도 적용할 수 있는 공정한 법이 필요하다고 생각했어.
찰
칵
공정한 법

그는 백성들을 제대로 바로잡고 올바르게 다스릴 방법을 찾았던 거야.
음…
삐
딱
백성

성인은 법령과 형벌을 합당하게
운영할 수 있는 기초를 세웠어.

법령
형벌

지나친 것은 자르고, 모자란 것은
끌어올려서

싹뚝
업그레이드

착한 이는 더욱 격려하고, 악한 이는
엄하게 다스려 사회를 제대로 세웠지.

상
벌

성인이 세운 하늘의 이치는 사람들을
평화롭게 다스리는 데 큰 역할을
했어.

하늘의
이치

성인은 도통(道統), 즉 도학을 전하는
계통을 세운 거야.

도
계통

이이는 도통을 세운 성인들을
한 명씩 소개했어. 옛 말을 인용할
때 자주 나오는 성인들이니 기억해
두면 좋을 거야.

저 장

가장 먼저 등장하는 성인은 복희(伏羲)씨야. 중국 고대 전설 속의 임금이지. 사람들에게 처음으로 수렵 · 농경 · 목축 등을
가르치고 문자를 만들었다고 해.

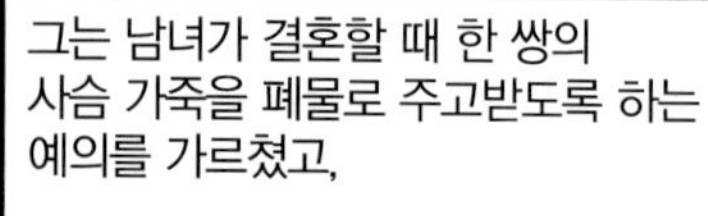
그는 남녀가 결혼할 때 한 쌍의
사슴 가죽을 폐물로 주고받도록 하는
예의를 가르쳤고,

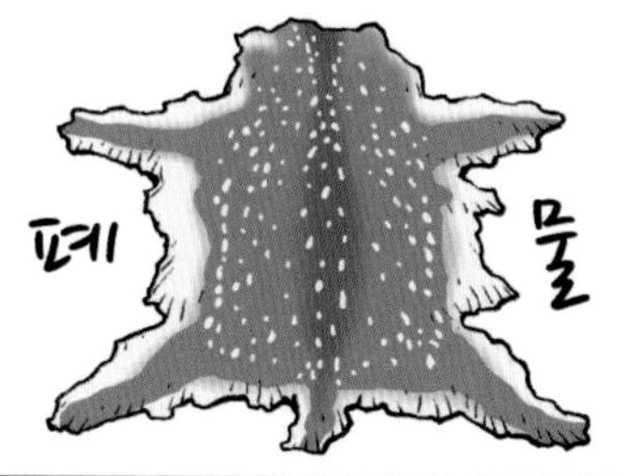
폐
물

그물을 발명해 짐승을 사냥하고
물고기를 잡을 수 있는 지혜를
가르쳤어. 팔괘도 처음 만들었지.

그래서 사람들은 복희씨를 부엌의
요리사 포(庖, 부엌 요리사 포) 자(字)를
써서 포희(犧, 희생 희)라고
부르기도 해.

복희씨가 세상을 떠난 후 신농(神農)씨가 백성을 다스렸어. 신농씨는 사람들에게 농업 · 의료 · 악사(樂師)를 가르쳤어. 신농씨는 백성들에게 농사를 지을 수 있도록 나무를 깎고 구부려서 농기구를 만드는 지혜를 가르쳤고, 밭 갈고 김매는 농사법을 가르쳤다고 해.
농업
의료
악사
농기구 교본
농사 교본

신농씨가 세상을 떠난 후 황제(黃帝)씨와 요와 순(堯와 舜) 임금이 차례로 등장했어.

중국 사람들은 복희씨, 신농씨, 황제씨를 가리켜 중국의 삼황(三皇)이라고 해.

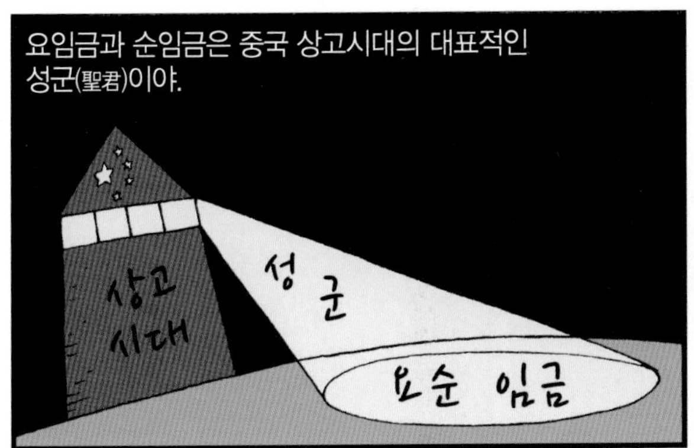
요임금과 순임금은 중국 상고시대의 대표적인 성군(聖君)이야.
상고 시대
성군
요순 임금

중국이나 우리나라에서 뛰어난 군주의 시대, 태평성대(太平聖代)의 시대를 일컬어 '요순시대(堯舜時代) 같다'라는 표현을 자주 사용해.
요 순 시 대

요와 순 임금은 백성들이 게을러지지 않도록 했고,

신묘한 방법으로 백성들을 잘 다스려서 인간의 도리를 잘 지키게 했어.
인간의 도리
신묘한 방법

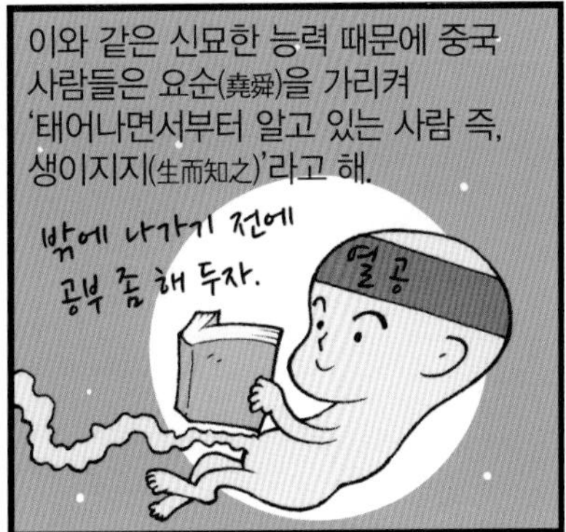
이와 같은 신묘한 능력 때문에 중국 사람들은 요순(堯舜)을 가리켜 '태어나면서부터 알고 있는 사람 즉, 생이지지(生而知之)'라고 해.
밖에 나가기 전에 공부 좀 해 두자.
열공

요와 순 임금 다음으로 등장한 성인은 *탕왕과 *무왕이었어. 중국 사람들은 탕왕과 무왕을 배워서 아는 사람, 즉 '학이지지(學而知之)'라 불렀어.

탕왕과 무왕은 요순 임금만큼은 아니었지만 임금 역할을 잘 수행했지.
THE ACADEMY AWARDS
역할에 충실했을 뿐인데…. 감사합니다.
미투

* 탕왕: 성탕(成湯) · 태을(太乙)이라고도 한다. 하(夏)나라를 멸망시키고 상(商)나라를 세웠다.
* 무왕: 이름은 희발(姬發). 주(周)나라의 창건자이며 제1대 황제다.

탕왕은 사람을 등용할 때 출신을 가리지 않았고 어진 인재를 잘 골라 쓴 임금이었어.
출
신
등
평
용
등

무왕은 백성을 사랑하는 마음이 지극해 언제나 백성들이 다치지 않을까 염려하며 아꼈어.
얼마나 아플꼬.
호~
백성

그의 아들인 성왕도 사람을 대할 때 자기랑 가깝다고 하여 특별히 아끼지도 않았고, 멀다고 하여 그의 재능을 놓치는 경우가 없었어.
이리 가까이 오시오.
공
평

앞에서 말한 이들은 모두 사물의 이치를 깨달은 성인들이야.
옳고
그름
성인

훌륭한 덕을 지니고 군주의 자리에 올라 자기를 수양하는 데 힘썼고,
덕

다른 사람을 다스려 그들을 바른 도리로 이끌었던 분들이지.
바른 도리
성인

이분들이 이러한 역할을 할 수 있었던 것은 도를 극진히 여겼기 때문이야.
도

또한 백성을 사랑하고 도를 얻고자 간절히 노력한 결과였어.
태평성대의 상징인 전설의 동물, *기린이야.

* 기린: 성인(聖人)이 세상에 나올 징조로 나타난다는 상상 속의 짐승. 사슴 같은 몸에 소의 꼬리를 달고 발굽과 갈기는 말과 같다.

복희씨부터 시작된 성인의 도통은 공자와 맹자, 주자까지 이어졌어.

도통 노선도
복희씨
신농씨
황제씨
요임금
순임금
탕 왕
문 왕
무 왕
공 자
맹 자
주 자

공자(孔子)의 삶에 대해서는 조금 더 자세히 알 필요가 있을 것 같아. 공자는 자신이 살아온 인생을 간단히 정리해서 후세 사람들에게 시기별로 해야 할 과제를 제시해 주었어.
나이를 지칭하는 말로도 널리 사용되고 있으니 성인의 삶을 살펴볼겸 한번 알아보자.
아코
인생 시기별 정리
조용히 해.
쉿!

공자는 열다섯 살을 입지(立志)라고 불렀는데, 이 무렵 학문에 뜻을 세웠어.
제자가 되고 싶습니다.
기특한지고.
학 문

서른 살이 되어서는 자립하여 지키는 것이 견고해지는 이립(而立)에 올랐어.
자립

마흔 살에는 마음 속에 의심이 가고 수상히 여겨지는 일이 없어지는 불혹(不惑)이었다고 해.
의심
나 40이야.
에헴…

쉰 살에는 하늘의 뜻인 천명을 알았다고 하여 지천명(知天命)이라고 했어. 쉰 살이 되니까 사물에 각각 부여된 천도(天道)를 정밀하게 알게 되었다고 하여 붙인 거야.
위 사람은 하늘의 이치를 깨달았기에 이 상장을 수여함.
천 도
상장
셰셰

예순 살에는 귀로 듣는 모든 것에 통달하여 거슬림이 없는 이순(耳順)이 되었어.
분 별 력
옳고
그름

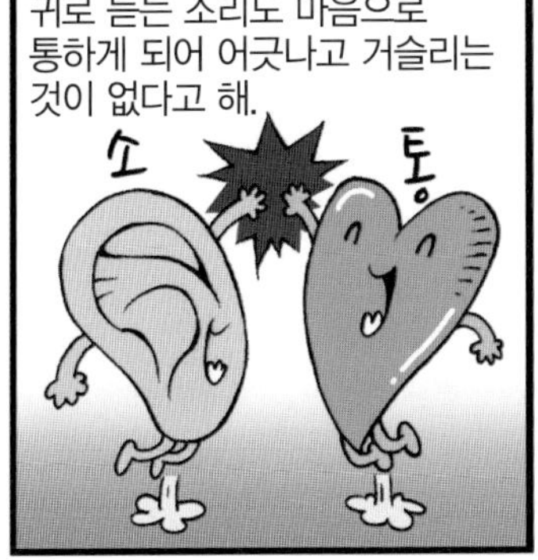

귀로 듣는 소리도 마음으로 통하게 되어 어긋나고 거슬리는 것이 없다고 해.
소 통

이순의 경지는 아는 것이 깊어지고 넓어져서 곰곰이 생각하지 않아도 저절로 터득하게 되는 것을 의미해.
터득

마지막으로 공자는 일흔 살이 되어서는 마음이 하고 싶은 대로 다 해도 법도에서 벗어나지 않는, 종심소욕(從心所欲)의 경지에 올랐다고 해.
천천히 가, 이놈아.
내 나이도 생각해 줘야지, 에고, 에고….
마음
법 도

그 후 등장한 맹자(孟子)는
전국
시대

스스로 공자의 도를 전한다고 하지는 않았지만 후세에 공자의 가르침을 전하는 역할을 했어.
배달이오
공자 반점
도

비록 공자의 문하에서 직접 수업을 들은 적은 없지만 공자를 높이 받들고 존경하며 자신을 낮출 줄 알았던 인물이었지.
공 자
맹 자

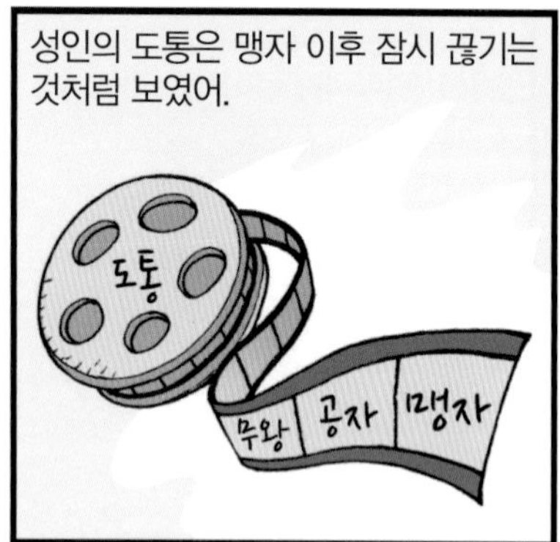
성인의 도통은 맹자 이후 잠시 끊기는 것처럼 보였어.
도통
무왕
공자
맹자

약 천 년 동안 성인(聖人)은 나타나지 않았고,
오늘도 허탕.
심마니
1000년
ZZZ

성인의 말들은 모두 없어지는 것처럼 보였지.
성인의 말씀

그러다가 중국 남송 시대에 주자(朱子, 1130~1200)가 등장했어.
남송

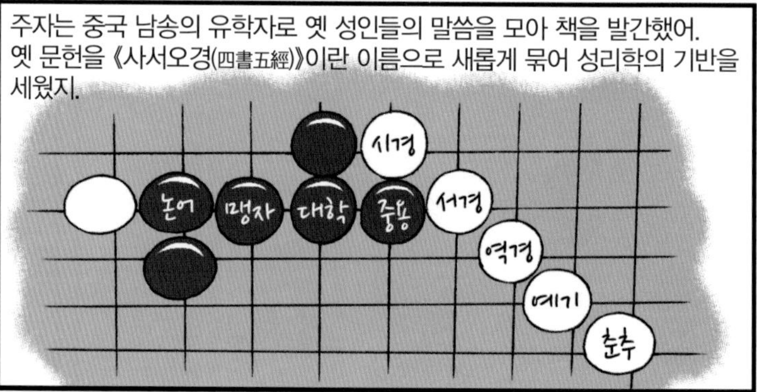
주자는 중국 남송의 유학자로 옛 성인들의 말씀을 모아 책을 발간했어. 옛 문헌을 《사서오경(四書五經)》이란 이름으로 새롭게 묶어 성리학의 기반을 세웠지.
시경
논어
맹자
대학
중용
서경
역경
예기
춘추

주자는 오랜 시간 공부해서 얻은 공자와 맹자의 가르침을 반듯하게 세웠어.
가르침
공자
맹자

지금까지 성인들의 말씀과 도가 전해질 수 있었던 것은 모두 주자 덕이야.
성인의 말씀
도

주자가 없었다면 옛 성인들의 말씀과 도는 이미 사라졌을지도 몰라.
지금 거신 번호는 없는 번호입니다. 다시 확인하시고 걸어 주십시오.

성인이 위대한 지도자가 될 수 있었던 것은
그가 세운 도덕이 한 시대 동안 백성들을
이끌었기 때문이야.
도덕

굳이 권력이나 무력을 쓰지
않아도 한 명의 성인이 도를
세우고,
도
천하

그가 죽으면 또 다른 성인이
나타나 그를 대신해 천하를
다스렸어.
도
도
천하

그들은 때에 따라 융통성을
발휘하기도 했고,
나 먼저 갈게.
윽!
융통성

백성들이 가난하지 않도록 살폈고,
국민 총소득
GNI
바쁘다
바빠

인간으로서 근본을 지킬 수 있도록
했기 때문에 그 누구도 성인들을
거역하지 않았지.
도
도

또한 비록 성인이 아니었어도 임금이 되어 천하를 잘 다스릴 수
있었어. 임금이 현인(賢人)이나 성인(聖人)을 신하로 얻어서 그들의
재주와 도량을 빌렸기 때문이야. 성인(聖人)이 제왕의 도를
잘 가르친 거지.
협동·단결!
영차! 영차!
천하

그런데 세월이 지나면서 풍습이 어지러워지고
경박해졌어.
세월

성인은 드물어졌고 혹 있다 하더라도 임금에게 그 뜻을 전할 방법이
없었어. 임금 주변에는 빈틈을 노리는 간사한 무리만 가득했지.

백성들은 부도덕함과 거짓으로
혼탁해질 수밖에 없었어.
세상을 탓해!
부도덕
백성
거짓
₩
₩
₩

사람들은 시대가 달라졌다고 하지만 도를 이끌어 줄 스승이 없기 때문에 도를 떨치지 못하는 것은 아닐까?
도

하늘과 땅의 보편적 이치가 여전하기 때문에 시대가 달라졌다고 해서 사람을 다스리는 도의 기준이 달라질 수는 없어.
도
시대는 변했어도 예전 맛 그대로군.

도라고 해서 항상 높고 원대한 게 아니야. 진정한 도는 일상생활 속에 있기 때문이지.
도
도
도

도는 일상생활에서 행하는 흔한 행동과 생각 하나하나에서 실현되는 거야.
쓰레기는 쓰레기통에.

그 안에서 균형과 정도를 유지하는 것이 바로 도지.
균형과 정도
도
일상생활

덕을 쌓을 수 있도록 자신을 수양하는 수기(修己)를 하고,
덕
덕
덕
흔들림이 없지?
수양

다른 사람들에게 가르침을 베푸는 치인(治人)을 다한다면
치인
도
도

이것이 바로 진실로 도를 전하는 것이라 할 수 있어.
택배 왔습니다.
진실한 마음
도

그런데 사람들은 도통의 전승을 잃어버려서 도가 뭔지도 잘 몰라. 그래서 천하가 갈팡질팡 헤매고 있지.
얘, 꼬마야.
아, '도'가 뭐지? 도레미파솔라시도?
도

이 때문에 이런 말이 전해지는 거야.
↓3
주자(朱子)가 죽은 후 백 년 동안 잘 다스려진 정치가 없고, 맹자가 죽고 천 년 동안 참된 선비가 없다.

하늘과 땅이 처음 열린 후 강과 산, 나무, 날짐승, 길짐승 등은 모두 옛날 그대로야.

인간의 삶도 성인이 만들어 놓은 의식주 그대로지.
의
주
식

그런데 요즘 사람들은 매우 게을러 눈앞에 보이는 이익만 중히 여기고 있어.
안과
눈이 굉장히 나쁘시네요. 가까운 곳만 보지 말고 먼 곳도 보세요.
네…

과연 옛것을 회복할 수 있을까? 진정 바라건대 세상의 지도자가 되려고 한다면 가슴에 도를 품고 가장 소중히 여겨야 할 가치를 회복했으면 해.
도
지도자

자기 안에 숨겨져 있는 선을 밝히고 덕을 실천하는 자기 수양을 다한다면,
실천
선
덕
수양

주변 사람을 다스리는 교화를 베풀며 흔들림 없이 도를 실천할 수 있어.
교화
악의 구렁텅이

이 책을 읽는 모든 독자들이 이런 지도자가 되었으면 좋겠어.
전하~.

이것이 이이가 임금을 위해서 《성학집요》를 지은 이유야.

부디 성군이 되시옵소서.

성학집요

이이의 스승 ①

신사임당(申師任堂, 1504~1551)

아무리 뛰어난 사람이라 해도 모든 것을 혼자 이룰 수는 없습니다. 그래서 위인들의 뒤에는 언제나 뛰어난 학식과 인품을 갖춘 스승이 있게 마련이죠. 조선의 대학자 이이에게도 평생 잊을 수 없는 스승이 있었어요. 바로 어머니 신사임당과 성리학자 이황이었죠.

이이의 어머니이자 스승, 신사임당

신사임당은 조선시대 대표적인 여성 문예가이자 화가이며, 이이의 어머니이자 스승이었어요. 신사임당의 고향은 푸른 동해와 설악산이 인접해 있는 강원도 강릉 북평촌(현재 강릉시 죽헌동)이에요. 조선시대 전기에는 여성들이 친정에서 아이를 키우며 사는 일이 흔했기 때문에 당시 신사임당도 친정에 살면서 아이들을 낳고 길렀죠.

© 위키

신사임당과 율곡 이이가 태어나 자란 오죽헌. 보물 제165호.

신사임당

천재 화가로서의 삶

신사임당의 본명은 신인선, 호(號, 이름 외에 불린 이름)가 사임당이에요. 사임당이라는 호는 중국 고대 주나라 문왕(文王)의 어머니였던 태임(太任)의 뛰어난 여인의 덕을 본받고 싶은 마음을 담아 따라 지었어요. 사임당은 일곱 살 때부터 그림 그리기를 시작했으며 조선 전기의 천재 화가 안견의 산수화인 〈몽유도원도〉, 〈적벽도〉, 〈청산백운도〉 등을 모방해 그리면서 실력을 키웠다고 해요. 특히 신

상소문
조선
개혁

사임당은 풀벌레와 포도를 그리는 데 남다른 재주가 있었어요. 당시 유명한 시인이었던 소세양(蘇世讓)은 신사임당의 산수화에 자신의 시를 붙여 〈동양 신 씨의 그림 족자〉라는 제목으로 작품을 내놓기도 했어요. 또 이이의 스승인 어숙권은 신사임당을 우리나라에서 '안견(安堅) 다음가는 화가'라고 칭송했답니다. 지금은 이이의 어머니로, 조선시대를 대표하는 모성의 상징으로 추앙받고 있지만 당시 신사임당의 명성은 이이의 어머니로서가 아닌 화가로서 더 자자했다고 해요.

현모양처로서의 삶

사임당은 화가인 동시에 현모양처이자 효녀였어요. 1522년, 사임당이 열아홉 살이 되었을 때 이원수와 결혼하여 4남 3녀를 낳아 길렀는데 이중 셋째 아들이 이이랍니다. 사임당은 서른여덟 살까지 친정이었던 강릉에서 살았다고 해요. 그 후 남편의 본가인 파주 율곡리로 옮겨 갔으니 결혼 생활 대부분을 친정에서 살았던 셈이에요.

효성이 지극했던 사임당은 고향을 떠나온 이후에도 홀로 계신 어머니를 그리워하며 시조를 짓곤 했어요. 그때 지은 시조는 그의 대표작으로 후대에 전해지고 있죠.

그 후 자신의 재주를 물려받은 아들과 딸의 정신적 지주가 되어 현명하고 좋은 어머니 역할에 충실했던 사임당은 1551년, 갑자기 세상을 떠났어요. 그의 나이 향년 마흔여덟 살이었지요.

기록에 따르면 사임당의 건강은 그리 좋은 편이 아니었던 것 같아요. 남편이 수운판관(조선시대, 수운(水運)에 관한 일을 맡아 보던 종오품 벼슬)에 임명되어 아들들과 함께 평안도로 갔을 때 눈을 감았답니다. 그때 이이의 나이가 열여섯이었어요. 당시 이이는 어머니를 잃은 슬픔에 금강산에 들어가 불가(佛家)에 입문할 정도로 방황을 했다고 해요. 어머니의 지극한 사랑을 받으며 자란 이이는 어머니에 대한 그리움과 사랑을 간직한 채 평생을 살았답니다.

이이의 스승 ②

이황(李滉, 1501~1570)

이이를 높이 평가했던 이황

이황은 이이가 벼슬에 들어서기 전부터 이미 명성이 높았던 대학자였어요. 두 사람 모두 학문이 높다 보니, 이이와 이황은 서로 마주하기도 전에 소문만으로 서로를 사모하는 마음을 품고 있었답니다. 처음 이이를 본 이황은 자신보다 서른다섯 살이나 아래인 이이의 맑은 성품에 놀라 '후생가외(後生可畏, 후배들이 젊고 기력이 좋아 학문을 닦음에 있어서 두려워할 만하다.)'라고 말했어요. 그 후 이이와 이황은 편지 왕래를 하며 돈독한 관계를 유지했습니다.

성리학의 토대를 닦은 이황

16세기 조선의 유학자들은 인간 본성에 대해 몰두하기 시작했는데, 그 중심에는 이황이 있었어요. 경상도 예안 온계리에서 출생한 이황은 어릴 때부터 독서와 학업에 열중하며 높은 학문을 쌓았어요. 과거 시험에 급제했지만 관직에 뜻을 버리고 성리학 연구에 심혈을 기울여 조선 성리학의 학문 체계를 완성하고 제자 양성에도 힘썼답니다.

유학 경전을 완벽하게 이해해 다양한 성리학 관련 저술을 했고, 성리학에 대한 젊은 학자들과의 논쟁을 통해 조선 성리학을 발전시켰어요. 특히 이황은 맹자가 주장한 사단(四端)을 인간 본성의 근원으로 보고, 육체적인 감정은 기질에 근거한 것으로 보았죠. 또한 인간의 심성을 사단과 칠정(七情)으로 설명하고, 우주 만물의 근원이 되는 '이(理)'를 가장 중요하게 여겼답니다.

'이(理)'를 인간이 가지고 있는 근본 원리로 이해하고, '사단'과 '칠정' 또한 '이'와 관련된 것으로 이해했어요. 그의 이러한 생각은 '사단은 이(理)가 발하고 기(氣)가 이(理)를 탄 것이고, 칠정은 기(氣)가 발하고 이(理)가 기(氣)를 탄 것'이라는 이기호발(理氣互發)설로 이어진답니다. 이처럼 이황은 여러 학자들과 '이'와 '기'에 대한 논쟁을 통해 이기이원론과 사단칠정론을 펼치며 조선 성리학을 발전시켰어요.

사림의 시대, 사회 운영 원리를 제시

이황은 성리학적 논쟁 외에도 국가와 사회의 운영 논리에 대해 여러 주장을 했어요. 그중 '향약'은

상소문
조선
개혁

지역 사회 농민들의 생활 안정을 위해 만든 마을의 자치 규약으로, 공동체 생활의 규범과 생활 실천을 강조한 것이에요. 그의 고향인 경상도 예안현 농민들이 예안 향약을 통해 풍족한 생활 기반을 갖기를 바랐죠. 이렇게 농민의 유랑을 막아 향촌 사회를 안정시키려고 했던 이황은 자신이 평생 공부한 성리학의 도덕 윤리를 행동으로 실천해야 한다고 주장했어요. 향약의 내용에는 '부모에게 불손한 자는 극벌로 다스린다', '친척과 화목하지 못한 자를 중벌로 다스린다' 등의 조항이 있었답니다.

© 위키

도산서원. 한평생 청렴하게 살았던 퇴계는 제자들이 마련해 준 도산서당에서 후학 양성에 힘을 쏟았다. 퇴계 사후 제자들이 도산서원을 세워 그를 기리고 학문을 잇고 있다.

동방의 주자로 추앙

이황은 성리학을 발전시켜 '퇴계학파'라는 유학의 한 부류를 형성했어요. 특히 임진왜란 이후에는 이황의 문집들이 일본에 전해지면서 일본 주자학에도 영향을 주었죠. 그 때문에 이황에 대한 연구는 우리나라뿐만 아니라 일본과 대만, 미국, 중국 등에서도 활발하게 이루어지고 있어요. 문인 조호익이 이황에 대해 '주자 이후 최고 일인자'라고 평했듯이, 그는 동방의 주자로 추앙받기에 부족함이 없답니다.

이이 〈고산구곡가〉 vs 이황 〈도산십이곡〉

이이가 남긴 시조 〈고산구곡가(高山九曲歌)〉는 이황의 〈도산십이곡(陶山十二曲)〉에 자주 비교되곤 해요. 이이의 〈고산구곡가〉가 자연의 아름다운 경치를 예찬하고 그 안에서 느껴지는 한가로움과 흥취를 담았다면 이황의 〈도산십이곡〉은 자연 속에서 느끼는 학문의 즐거움과 앞으로의 학문 자세를 강조하는 글이라고 할 수 있어요.

이이 〈고산구곡가〉

〈고산구곡가〉는 이이가 마흔두 살때 벼슬에서 물러나 황해도 해주에 머물면서 그곳 자연 경관의 아름다움을 노래한 시조예요. 〈고산구곡가〉의 '고산(高山)'은 황해도 해주에 있는 산 이름이에요. 총 10수로 이루어진 연시조 〈고산구곡가〉는 아름다운 자연을 예찬하는 한편, 평화로운 가운데 학문에 정진하기를 바라는 마음을 담고 있어요.

〈고산구곡가〉는 서곡(序曲), 제1곡 관암(冠巖), 제2곡 화암(花巖), 제3곡 취병(翠屛), 제4곡 송애(松崖), 제5곡 은병(隱屛), 제6곡 조협(釣峽), 제7곡 풍암(楓巖), 제8곡 금탄(琴灘), 제9곡 문산(文山)까지, 각각의 지명을 호명하며 그곳에서 느낀 자연 경치 등을 계절과 시간의 순서에 따라 배치했어요.

황해도 해주 석담(石潭)에서 지었다고 하여 '석담구곡가(石潭九曲歌)'라고 불리기도 하는 이 작품은 당시 조선 성리학자들이 한시를 즐겨 부른 것과 달리, 성리학의 큰 스승이었던 이이가 우리 문학의 한 갈래인 시조를 창작했다는 점에서 의미가 매우 크답니다. 〈고산구곡가〉의 전체적인 형식은 중국의 주자가 쓴 〈무이도가〉에서 빌려왔지만 글은 우리 글로 되어 있어요. 〈고산구곡가〉는 성리학의 이념을 겉으로 드러내지 않은 채 자연에 묻혀 사는 선비들의 한가롭고 평화로운 마음을 잘 드러낸 작품이에요.

〈고산구곡가〉

고산구곡담(高山九曲潭)을 살ᄅᆞᆷ이 몰으든이,
주모복거(誅茅卜居)ᄒᆞ니 벗님네 다 오신다.
어즙어, 무이(武夷)를 상상(想像)ᄒᆞ고 학주자(學朱子)를 ᄒᆞ리라. 〈1수〉

고산의 아홉 굽이 계곡물의 아름다움을 사람들이 몰라서,

상소문
조선
개혁

띠풀을 베고 터를 잡아 집을 짓고 사니 벗님네들 모두가 다 찾아오는구나.
아아, 무이산에서 후학을 가르친 주자를 생각하고 주자를 배우리라

이곡(二曲)은 어드메고 화암(花巖)에 춘만(春晩)커다.
벽파(碧波)에 곳츨 띄워 야외(野外)에 보내노라.
살ᄅᆞᆷ이 승지(勝地)를 몰온이 알게 ᄒᆞᆫ들 엇더리. 〈3수〉

두 번째로 경치가 좋은 곳은 어디인가? 화암에 봄이 한창이니 또한 볼만하구나.
푸른 물결에 꽃을 띄워 멀리 있는 들판 밖으로 보내노라.
사람들이 이 아름다운 곳을 모르니, (꽃을 띄워 보내) 이곳의 경치를 알게 한들 어떠리.

이황 〈도산십이곡〉

이황의 〈도산십이곡〉은 이이의 〈고산구곡가〉보다 먼저 나왔어요. 〈도산십이곡〉은 언지(言志) 6곡과 언학(言學) 6곡으로 구성되어 있는데, 언지에는 자연 속에서 '도'의 뜻을 새기겠다는 내용을 담고 있어요. 언학에는 학문하는 과정의 즐거움과 더욱 학문에 정진하겠다는 의지를 다지고 있죠.

〈도산십이곡〉

이런들 엇더하며 뎌런들 엇더하료
초야우생(草野愚生)이 이러타 엇더하료
하믈며 천석고황(泉石膏肓)을 곳텨 무슴 하료. 〈1수(언지1)〉

이런들 어떠하며 저런들 어떠하랴?
시골에 묻혀 사는 어리석은 사람이 이렇게(공명이나 시비를 떠나) 산다고 하면 어떠하랴?
더구나 자연을 사랑하는 것이 고질병처럼 된 버릇을 고쳐서 무엇하랴?

고인(古人)도 날 몯보고 나도 고인 몯 뵈
고인을 몯 봐도 녀던 길 알 잇네.
녀던 길 알페 잇거든 아니 녀고 엇뎔고. 〈9수(언학3)〉

옛 성현도 나를 보지 못하고 나도 또한 옛 성현을 뵙지 못했네.
옛 성현을 뵙지 못해도 그분들이 가던 길이 앞에 놓여 있네.
가던 길(진리의 길)이 앞에 있는데 나 또한 아니 가고 어떻게 하겠는가

이이의 사회개혁론

이이가 살았던 16세기는 정치적 · 사회적으로 매우 혼란스러운 시대였어요. 집권층의 이권 다툼과 관리들의 나태함이 극에 달했던 시기라고 할 수 있죠. 그때 중요 관직에 있던 이이는 선조에게 상소문을 올려 조선 사회가 당면한 전반적인 문제점을 전달하고 이를 개혁할 방안을 제시했어요.

이이는 유학의 목표인 치인(治人)과 안인(安人)을 구체적으로 실현할 수 있도록 부정을 바로잡고, 민생을 구제할 여러 개혁안을 제시했어요. 그가 병조판서에 있을 때 올린 상소문을 보면 잘 알 수 있죠.

> "우리나라가 오래도록 평화를 누려 태만함이 날로 더해 안팎이 텅 비고 군대와 식량이 모두 부족하여 하찮은 오랑캐가 변경을 침입해도 온 나라가 이렇게 놀라 술렁이니 혹시 큰 적이 침범해 오기라도 한다면 아무리 지혜로운 자라도 계책을 쓸 수가 없습니다. (중략) 신이 병관의 자리에 있으면서 밤낮으로 생각한 계책을 말씀드리자면 첫째 현명한 인재를 등용할 것, 둘째 군사를 양성할 것, 셋째 재물과 물자를 풍족하게 할 것, 넷째 변방을 튼튼하게 할 것, 다섯째 전마(戰馬, 전쟁할 때 탈 말)를 갖출 것, 여섯째 교화를 밝힐 것 등입니다."

상소문을 보면 이이는 임금에게 '현명한 인재를 발탁하여 임용할 것과 군사력을 키울 것, 경제적 여건을 풍요롭게 할 것, 외적의 침입을 막는 변방의 경계를 강화할 것, 전쟁 장비를 갖출 것, 백성들의 가르침에 힘쓸 것' 등을 주장했음을 알 수 있어요.

조선 건국 후 큰 어려움 없이 몇 백 년이 흐르자 각종 제도가 변화하는 시대에 맞지 않고, 부정부패가 만연하여 근본적으로 사회를 바꿔야 한다고 생각했던 거죠. 특히 낡은 법과 조세제도를 바꿔 백성들이 고통을 겪지 않도록 노력했어요. 재물과 물자를 풍족하게 하여 민생을 안정시키는 것을 중시 여겼던 거죠. 또한 사회를 안정시키고, 개혁을 추진하기 위해서는 왕에서 백성에 이르기까지 교육을 통해 인간이 가지고 있는 아름다운 본성을 회복해야 한다고 생각했어요. 그가 추진한 농촌 자치 규율인 향약과 많은 유생을 배출한 서원도 그런 의도가 담겨 있는 것이랍니다.

또한 이이는 왕조의 변천 단계를 창업(創業), 수성(守成, 유지)과 경장(更張, 개혁)으로 나눌 수 있다고 말했어요. 지금은 각종 부패가 누적되어 경장(개혁)에 힘써야 할 때라고 주장한 글도 남아 있죠.

창업이 빼어난 덕을 가지고 하늘의 뜻과 백성의 신임을 얻어 새로운 왕조를 개창하는 일이라면,

상소문
조선
개혁

수성은 앞에서 이미 성왕과 현신이 구비해 놓은 법제를 충실히 따르면 되는 일이라고 했어요. 하지만 경장은 태평한 세월이 장기간 지속되면 폐단이 생겨나기 마련이고, 그것이 누적되면 기존 질서가 붕괴되어 과감한 개혁으로 구제하지 않으면 안 된다고 주장했죠. 수성은 비교적 쉬운 일이라서 평범한 군주와 평범한 신하들만으로도 가능하지만, 그에 비해 경장은 어려운 일이기 때문에 높은 안목과 탁월한 능력이 있어야 한다고 했어요. 이 같은 개혁이 이루어지지 않는다면 재앙이 닥칠 수 있다는 경고의 메시지도 함께 전했답니다. 이이의 생각을 직접 읽어 볼까요?

> 그 시대에 가장 힘써야 할 일로 창업(創業)과 수성(守成), 경장(更張) 세 가지를 들 수 있습니다. … 중략 … 경장의 시기에 번영이 극에 달하면 중도부터 미약해집니다. 또 법이 오래되면 폐단이 생겨나니 안일함에 빠져 고루한 것을 따르고 백 가지 제도가 무너집니다. 그러면 날로 그릇되고 달로 어긋나서 나라를 다스릴 수 없게 됩니다. 반드시 밝은 임금과 총명한 신하가 나라의 뼈대를 붙잡아 세우고, 어둡고 게으른 것을 일깨워야 합니다. 오랜 인습을 깨끗이 씻어 내고 묵은 폐단을 개혁하여 선왕이 남긴 뜻을 잘 이어 한 시대의 규모를 빛나게 해야 합니다. 그러면 그 공적이 역사에 빛나고 사업은 후손까지 미치게 됩니다.
>
> 수성의 시기에는 중간쯤 가는 평범한 임금과 숫자만 채울 뿐인 무능한 신하라 할지라도 나라를 잃지 않고 지킬 수 있습니다. 그러나 경장은 높은 견해와 빼어난 재주가 없으면 할 수 없습니다. 수성을 해야 할 때 고치고 바꾸는 데 힘쓴다면, 이는 병도 없는데 약을 먹는 것과 같아서 도리어 병을 일으키게 될 것입니다. 그리고 경장해야 할 때 그대로 지키려고 한다면, 이는 병에 걸렸는데도 약으로 치료하지 않고 누워서 죽기를 기다리는 것과 같습니다.
>
> – 이이, 《성학집요》

성학(聖學)을 위한 이황의 《성학십도》

이이는 당시 임금이었던 선조에게 임금의 바른 도리를 일깨워 주고자 《성학집요》를 써서 바쳤어요. 그런데 그보다 먼저 임금에게 성리학의 가르침으로 올바른 임금이 되기를 바라는 내용의 책을 이황이 썼는데, 그책이 《성학십도》였답니다.

1568년 12월, 예순여덟 살의 이황은 새롭게 왕위에 오른 어린 선조에게 《성학십도》를 바쳤어요. 《성학십도》는 10개의 그림을 통해 성리학의 주요 내용을 표현한 책으로, 새롭게 왕위에 오른 선조에게 군주의 도리인 성학(聖學)을 제시했어요. 선조가 유학에서 성인이라 칭송되는 요순(堯舜) 임금들처럼 성인이 되기를 바라는 간절한 믿음을 담았던 거죠.

사실 우주 생성의 원리부터 일상생활의 실천 원리에 이르기까지, 이를 그림으로 표현한다는 건 결코 쉬운 일이 아니에요. 이를 이해하는 건 더더욱 어려운 일이죠. 이황은 서문에서 '도무형상(道無形象), 천무언어(天無言語)'라고 밝혔어요. '길은 형태가 없고 하늘은 말씀이 없다'라는 말로, 도를 깨닫는 데는 한 가지 길과 구체적인 말이 아닌 대 우주의 원리 앞에 겸손함을 잃지 말고, 오랜 공부와 고민이 필요함을 강조했어요. 그러다 보면 자기 안에서 저절로 하늘의 원리를 발견할 수 있다는 믿음이 생긴다고 본 거죠.

마치 암호처럼 어렵게만 느껴지는 10개의 그림을 쉽게 이해할 수는 없지만, 이황이 《성합십도》 말미에 "전하께서 일상에서 이 그림들을 적절히 염두에 두고 음미한다면 반드시 체득하는 바가 있을 것입니다."라고 표현한 것처럼 신중함과 엄숙함 가운데 반드시 무언가를 얻을 수 있을 거라 했어요.

첫 번째 그림인 〈태극도(太極圖)〉는 우주와 인간 삶에 대한 총체적인 이야기를 담고 있어요. 이것은 북송의 주돈이(周敦頤, 1017~1073)가 그린 것으로, 우주의 근원인 태극으로부터 만물이 생성되는 과정을 표현한 것이랍니다.

태극에서 음양(陰陽)의 이기(二氣)가 생기고, 오행(五行, 물/불/흙/나무/금)이 생기며 남녀 인간이 생겼다는 만물 생성의 원리를 설명하고 있죠.

'우리가 온 곳을 모르면 우리가 가는 곳을 알 수 없다'는 말처럼 인간이 어떻게 살아야 하는지 알기 위해서는 천지 만물의 생성 이치를 알아야 한다는 원리로 접근했던 거예요. 우주 만물 중 가장 우수한 존재는 인간이기 때문에 도리를 지키고 마음을 성실하게 하여 성인(聖人)이 되어야 한다는 도덕과

상소문
조선
개혁

윤리의 중요성까지 설명하고 있죠. 즉 우주 만물의 생성 원리 속에 조화를 이루는 인간의 도덕과 윤리를 하나의 맥락으로 설명해 놓은 것이랍니다.

이황의 《성학십도》는 이처럼 유학에서 꼭 알아야 할 원리를 10개의 그림 속에 담고 있어요. 추상적인 원리를 담아내고 있는 그림을 깊이 있게 읽고 연구하다 보면 진리에 도달할 수 있다고 생각한 거죠. 마치 높은 도인의 경지에 이른 할아버지가 어린 손주에게 화두 하나를 던짐으로써 말로는 전할 수 없는 진리를 가르쳐 주고 싶었던 거예요.

《성학십도》의 각 장은 10개의 도표와 그 해설로 되어 있어요. 10개의 도표 가운데 7개의 도표는 옛 현인들이 작성한 것을 인용하여 설명한 것이고, 8장부터는 이황이 직접 작성한 것이에요. 간략하게 10개의 성학(聖學)론을 정리해 보면 다음과 같습니다.

구분	주된 의의와 목적	세부 내용
1~5도	천도(天道)에 기본을 두고, 인륜(人倫)을 밝히고 덕업(德業)을 이룩하도록 하는 데 목적이 있음.	제1 태극도(太極圖): 우주의 기원 제2 서명도(西銘圖): 인간의 위상 제3 소학도(小學圖): 학교와 교육의 중요성 제4 대학도(大學圖): '학문'을 바탕으로 한 '수신제가치국평천하'의 원리 제5 백록동규도(白鹿洞規圖): 생활 규범과 실천
6~10도	심성(心性)에 근원을 두고, 일상 생활에서 공경을 실천하고 중시 여기는 데 목적이 있음.	제6 심통성정도(心統性情圖): '마음'의 구조 제7 인설도(仁說圖): '인(仁)'에 대하여 제8 심학도(心學圖): '마음'에 대하여 제9 경재잠도(敬齋箴圖): '공경'을 실천하는 방법 제10 숙흥야매잠도(夙興夜寐箴圖): 하루 일과에서 '공경'을 구체적으로 실천하는 방법

선조의 사람들

당대 최고의 학자였던 이황과 이이가 임금이 알아야 할 도리를 정리한 책을 써 임금께 바쳤다는 것은 분명 당대 임금으로서는 큰 행운이었을 겁니다. 선조는 이황과 이이 같은 우수한 인재를 등용하고 유학을 장려했던 왕이었어요. 하지만 당쟁으로 정치 기강이 무너지고 외적의 침입에 제대로 방어하지 못해 조선시대 무능력한 임금 중 한 명으로 꼽히기도 하죠. 선조와 동시대를 살았던 인물들에 대해 좀 더 알아볼까요?

선조(조선 제14대 왕, 재위 1567~1608)

아들이 없었던 명종이 죽자, 1567(명종 22)년 명종의 조카였던 선조가 열일곱의 나이로 즉위했어요. 처음에는 명종의 비 인순왕후 심 씨(沈氏)가 수렴청정을 하다가 다음 해부터 직접 정치를 펼쳤을 만큼 지혜와 학식을 갖춘 왕으로 인정받았어요.

즉위 후 많은 인재 등용과 국정 개혁을 위해 노력한 선조는 조선 전기 훈구파와 사림파의 갈등을 해결하고, 기묘사화와 을사사화 등 억울한 과거를 청산하려고 애썼어요. 이 과정에서 새로운 인물이 중앙 정계에 진출할 수 있는 길이 열렸고, 인재 등용에 있어서도 성적에만 의존하던 과거와는 달리 학행이 뛰어난 사람을 중용했어요. 덕분에 이황, 이이 등 많은 인재들이 국정에 참여할 수 있었죠.

하지만 점점 분열되는 정치권의 당파와 당쟁을 막지 못했고, 이 때문에 선조는 정치적 역량을 펼치기 어려웠어요. 게다가 왜군의 침입과 여진족의 침입이라는 국가적 위기를 제대로 수습하지 못하면서 무능한 왕으로 기록되고 말았죠.

이순신(李舜臣, 1545~1598)

임진왜란 최고의 영웅 이순신 장군은 삼도수군통제사로서 군대를 이끌고 왜군을 물리치는 데 큰 공을 세운 인물이에요. 2백 년 가까이 평화를 누리고 있었던 탓에 전쟁 준비에 소홀했던 조선은 갑작스레 들이닥친 왜적에 의해 서울 · 개성 · 평양을 순식간에 빼앗겼어요. 이때 조선을 지켜냈던 이는 서울 근처에서 왜적을 물리친 도원수(都元帥) 권율(權慄)장군

© 위키
이순신

상소문
조선
개혁

과 바다에서 활약하며 큰 공을 세운 통제사(統制使) 이순신(李舜臣) 장군이었답니다.

류성룡(柳成龍, 1542~1607)

류성룡은 스물한 살에 이미 이황에게서 '하늘이 내린 인재이니 반드시 큰 인물이 될 것'이라는 평을 들었을 정도로 학문과 인품을 두루 갖춘 인재였어요. 선조도 유성룡을 보면 '저절로 경의가 생긴다'라고 말할 정도였죠.

스물다섯에 문과에 급제한 후 예조, 병조 판서를 두루 역임했고, 1592년 영의정에 오르기까지 생애의 대부분을 정치가로 보냈어요. 임진왜란 때는 이순신에게 《증손전수방략(增損戰守方略)》이라는 병서를 주어 실전에 활용하게 할 정도로 현실적인 학문을 중시 여긴 군사전략가이기도 했어요. 말년에는 고향에서 은거하며 임진왜란을 기록한 국보 제132호 《징비록(懲毖錄)》과 《서애집(西厓集)》《신종록(愼終錄)》 등을 저술했답니다.

사명대사(泗溟堂, 1544~1610)

이름은 유정(惟政), 호는 사명당(泗溟堂 또는 四溟堂)인 조선 중기의 승려예요. 임진왜란 때는 승병(僧兵, 승려들로 조직된 조선시대의 비정규 군대)을 모집해 왜군들과 싸우기도 했죠. '부처의 힘으로 나라를 지킨다'는 호국불교 사상으로 임진왜란 중 지원 나온 명나라 군사와 협력하며 국난에 적극 가담했어요. 특히 도원수 권율 장군을 도와 의령에서 왜군을 격파했고, 정유재란 때 울산의 도산과 순천 예교에서 큰 공을 세웠어요.

1604년에는 일본으로 건너가 강화를 맺고 전란 때 잡혀간 조선인 포로 3000여 명을 인솔하여 귀국한 일화로도 유명하답니다.

© 위키

사명대사

조선의 성리학

우리나라에 유학이 처음 들어온 것은 삼국시대였어요. 이후 오랜 역사를 거듭하며 철학적 논의뿐만 아니라 정치, 일상생활의 규범에 이르기까지 우리에게 많은 영향을 주었죠.

당시 유학은 '자기 자신을 수양하고 남을 편안하게 한다'라는 '수기안인(修己安人)'의 윤리를 제시하며 널리 전파되었어요. 수기(修己)는 성실한 마음으로 자아를 수양하여 덕을 쌓는 것이고, 안인(安人)은 다른 사람을 대하고 일을 처리할 때 공경하는 마음을 가짐으로써 가정을 가지런히 하고, 사회를 평안하게 하는 것을 가리키는 말이에요. 자기 수양을 기본으로 사회 전체의 이익까지 아우를 수 있는 학문이었기 때문에 정치, 예술, 문화, 윤리에 뿌리 깊이 자리 잡을 수 있었죠.

© 위키

주자. 조선의 유학은 주자를 공자, 맹자와 나란한 대열에 올려놓을 만큼 신성시했다.

특히 조선시대에 이르러 중국 주자(朱子)가 정리한 유학 체계에 대한 심도 있는 연구가 이루어지면서 성리학이 크게 발전했어요. 이후 많은 학자들이 성리학을 이론적으로 분석하고 체계화하는 과정에서 학문적 경향에 따른 논쟁을 이어 갔고, 이 때문에 당파가 형성되기도 했죠. 당시 가장 큰 논쟁은 맹자의 심성론에 근거한 사단칠정 논쟁이었어요.

사단과 칠정

맹자는 기본적으로 사람의 본성을 선하다고 보았어요. '사람의 본성은 선하지 아니함이 없고, 물은 낮은 데로 흘러가지 않음이 없다.'라고 말하며 물이 낮은 데로 흐르는 것이 당연한 이치인 것처럼, 인간은 선한 대로 흘러간다고 보았죠. 그리고 인간이 가지고 있는 아름다운 본성을 사단으로 설명했어요. 또한 내면에 사단을 가지고 있다 하더라도 살면서 다양한 감정을 갖게 되는데, 이것을 칠정으로 보았답니다.

- 사단(四端): 인간의 본성에서 우러나오는 마음씨로 선천적이고 도덕적인 능력을 말해요. 남의 불행을 불쌍히 여기는 마음(측은지심), 자신의 불의를 부끄러워하고 남의 불의를 미워하는 마음(수오지심), 남에게 양보하는 마음(사양지심), 잘잘못을 분별하여 가리는 마음(시비지심) 등을

상소문
조선
개혁

4단이라고 했어요. 이때 사단은 인의예지(仁義禮智)라는 사덕(四德)에서 비롯된 것이랍니다.

- 칠정(七情): 인간의 본성이 사물과 만나면서 표현되는 감정으로, 《예기》에 나오는 희(喜, 기쁨), 노(怒, 노여움), 애(哀, 슬픔), 구(懼, 두려움), 애(愛, 사랑), 오(惡, 미움), 욕(欲, 욕망)을 말해요.

이기론

중국의 주자는 만물의 생성 과정을 설명하며 이(理)와 기(氣)의 개념을 구체화시켰어요. 사물이 기에 의해 움직이고 존재한다는 이론은 일찍부터 있었는데, 기보다 이가 먼저 존재한다고 생각했지요. '천지가 생기기 전에 이가 존재했으며 이가 있기에 천지가 생겼다. 만일 이가 없다면 천지만물도 없다. 그러므로 이가 있기에 기가 있고 기가 움직여 만물을 발육시킨다'라고 말하며 이와 기를 구분했어요.

이는 비록 형상은 없으나 법칙이나 이치와 같은 형이상학적인 존재이자 좀 더 본질적인 것이고, 기는 만물의 생성과 변화의 바탕이 되는 재료와 같은 것으로, 형상으로 나타난다고 생각했어요. 주자는 이와 기는 서로 떨어질 수 없는 동시에 섞일 수도 없는 것이라고 규정했는데, 주자 이후의 유학자들 사이에서는 이와 기를 하나로 봐야 할지 아니면 둘로 봐야 할지에 대한 논란이 이어졌습니다.

- 이기일원론(理氣一元論): 만물은 이와 기가 분리되어 따로 존재하는 것이 아니라 하나라는 주장
- 이기이원론(理氣二元論): 만물은 이와 기가 분리되어 따로 존재한다는 주장

이황과 이이가 본 사단과 칠정

이황은 '사단(四端)은 이(理)의 발이고 칠정(七情)은 기(氣)의 발'이라고 생각했어요. 사단은 순수한 선함이기에 이에 의해서만 일어나고, 칠정은 선함과 악함이 동시에 일어날 수 있는 것으로 기에 의해 일어난다고 본 것입니다. 또 '사단은 이가 발하고 기가 이를 탄 것이고, 칠정은 기가 발하고 이가 기를 탄 것'이라는 이기호발(理氣互發)을 주장했어요.

반면에 이이는 '기발리승일도', 즉 인간의 도덕과 감정의 발현은 기의 작용에 의한 것으로 기가 발하여 이가 올라타는 한 길이라고 주장했어요. '이(理)'란 보편적인 것이고, '기(氣)'는 특수한 것으로 파악하여 '이'는 통하고 '기'는 국한된다는 견해를 내놓았죠. 즉 인간을 포함한 모든 사물의 특성이 제각기 다른 것은 '기'의 국한성 때문이라고 보았답니다.

조선의 교육과 과거제도

이이는 자신의 학문적 성과를 정치에 실현시켰던 인물이에요. 그가 거친 관직은 학문적 성과를 실현시키는 장이 되었죠. 이이는 어릴 때부터 학업에 두각을 드러내며 아홉 번의 장원급제를 해 '구도장원공' 이라는 별명을 얻은 위인이에요. 그렇다면 당시의 교육과 과거제도는 어땠을까요?

조선의 교육과 유학의 발전

당시 조선은 유교를 국가이념으로 정하고, 교육 기관을 증설하여 백성들에게 배울 수 있는 기회를 제공했어요. 먼저 인문 교육 기관부터 살펴볼까요? 중앙에 국립 대학 격인 성균관(成均館)을 두고, 중등교육에 해당하는 4부 학당(學堂)을 서울에, 향교(鄕校)를 지방에 설치했어요. 향교에는 각 군 · 현의 인구에 비례하여 정원을 책정했는데, 지금의 중 · 고등학교 시스템과 같다고 볼 수 있어요. 학생들은 군역이 면제되었는데, 농번기에는 방학을 맞아 농사일을 돕고 농한기에는 기숙사인 재(齋)에 거처하면서 공부했죠. 또한 각 지역에 설치된 서당은 초등 교육 기관으로서의 역할을 했어요. 훈장(訓長) · 접장(接長)의 지도 하에 초보적인 한자 교육이 실시되었죠. 조선 중기 이후 등장한 서원(書院)은 지방의 양반 자제들을 교육하여 많은 인재를 길러냈고, 옛 선현의 제사를 올리는 등 지방 사교육 기관으로 자리를 잡아갔답니다.

<table>
<tr><th>초등학교 수준</th><th>중고등학교 수준</th><th>자격시험</th><th>대학교 수준</th><th>관리 등용 시험</th></tr>
<tr><td rowspan="3">서당(사교육, 지방)</td><td>4부 학당(공교육, 서울)</td><td rowspan="3">소과
(생원 · 진사시)</td><td rowspan="3">성균관(중앙)</td><td rowspan="3">대과
(초시 · 복시 · 전시)</td></tr>
<tr><td>향교(공교육, 지방)</td></tr>
<tr><td>서원(사교육, 지방)</td></tr>
</table>

한편, 기술 교육은 특별 기관이 담당했는데, 의학 · 역학 · 산학 · 율학 · 천문학 · 지리학 등으로 나누어 각각 전의감(의학) · 사역원(역학) · 호조(산학) · 형조(율학) · 관상감(천문학, 지리학) 등 해당 관청에서 각 전공 영역을 가르쳤어요. 당시에는 잡학(雜學)이라고도 불리던 기술학을 천시하는 분위기 때문에 양반이 아닌 중인(中人) 계층의 자제가 대를 이어 기술 관련 관직에 오르거나 직업을 갖는 일이 많았답니다.

상소문
조선
개혁

관리 등용문, 과거제도

당시에는 고등 교육을 마치고 관리가 되기 위해서는 과거에 합격해야 했어요. 양반들에게만 교육을 받을 수 있는 기회가 주어졌기 때문에 과거제도를 통해 관리에 등용되는 것도 양반이었어요. 학업에 매진하던 유생들의 목표는 성균관 입학과 생원 · 진사시 합격이었죠.

전국적인 규모로 3년에 한 번씩 시행되는 과거 시험을 식년시(式年試), 국가적으로 경축할 일이나 필요가 있을 때마다 치른 과거를 별시(別試)라고 했어요. 식년시를 기준으로 과거제도는 크게 문과와 무과, 잡과 3종으로 나눌 수 있는데, 문과는 문관을, 무과는 무관을, 잡과는 기술관을 뽑았답니다. 이처럼 당시 과거제도는 관직에 오르는 가장 일반적인 방법이었고, 양반 자제들의 특권이었던 음서와 추천에 의한 천거도 가능했답니다.

조선시대의 과거제도

구분	성격	세부 내용
문과	성균관 입학 자격을 주거나 관직(문관)에 오를 수 있는 시험	• 생진과(소과) – 생원과(生員科): 4서 5경(四書五經) 시험 – 진사과(進士科): 시(詩) · 부(賦) · 표(表) · 책(策) 등 문장 시험 • 문과 (대과): 관리(문관)로 임용되는 최고 단계의 시험
무과	무관을 선발하는 시험	• 조선시대 처음으로 설치 • 문과처럼 초시 · 복시 · 전시를 거치도록 함
잡과	기술 관료를 선발하는 시험	• 역과: 한어 · 여진어 · 왜어 등 통역관 시험으로 사역원에서 실시 • 율과: 형조의 관리인 율관 시험으로 형조에서 실시 • 의과: 의관의 시험으로 전의감에서 실시 • 음양과: 천문 · 지리 등의 시험으로 관상감에서 실시

중국의 필독 고전《사서오경》

이이의《성학집요》는 유학 경전에서 중요한 것만을 모아 놓은 책이에요. 특히 중국의 대표 경전인《사서오경》의 내용이 많이 포함되어 있죠. 유학의 핵심이라고 할 수 있는《사서오경》에 대해서 좀 더 알아볼까요?

사서(四書)

《사서오경(四書五經)》은 유학의 가장 대표적인 경전(經典)을 4개의 서와 5개의 경으로 정해 부르는 말이에요. 이때 사서(四書)란《논어(論語)》《맹자(孟子)》《대학(大學)》《중용(中庸)》을 말해요. 이중《대학》과《중용》은 원래《예기(禮記)》에 포함되었던 것으로, 이를 각각 독립시켜 별책으로 만든 것이랍니다.

- 《논어(論語)》: 공자와 그 제자들의 대화를 기록한 책으로, 저자는 명확히 알려져 있지 않으나 공자의 제자들과 문인들이 공동 편찬한 것으로 추정되고 있어요. 공자의 생애 전반에 걸친 언행을 모아 놓은 격언이나 금언이 주를 이룬답니다.
- 《맹자(孟子)》: 맹자가 정계를 은퇴한 뒤 말년에 제자들과 더불어 만든 책으로 추정해요. 공자가 살아 있을 때부터 널리 알려진 탁월한 사상가였다면, 맹자는 전국시대의 뛰어난 여러 학자들 가운데 한 사람이었다가 한참 후에 인정받은 성인이에요.
- 《중용(中庸)》: 작자는 공자의 손자인 자사라고 알려져 있으나, 아직 유력한 정설은 없어요. 이후 여러 유가 학자들의 보충과 해설이 더해져 현재의 모습으로 완성되었죠.《중용》의 주요 내용은 성(誠), 중용, 중화(中和)로, 성은 진실무망(착한 성품을 살펴 허망한 일을 하지 않음)을, 중용은 치우치거나 기대지 않고 지나침도 모자람도 없는, 절도에 맞는 생활 실천을 강조하는 말이에요. 중화는 가장 바람직한 내면의 심리 상태를 의미해요. 중용이 행위적인 측면을 강조한 반면 중화는 심리적인 측면을 강조한답니다.
- 《대학(大學)》: 원작자는 알 수 없으나 유가 사상의 주요 사상을 체계적으로 설명하고 있는 책이에요. 자기 수양을 완성하고 사회 질서를 이루는 과정을 이론적으로 보여 주면서 이를 삼강령과 팔조목으로 나누어 밝히고 있죠.

상소문
조선
개혁

《대학》의 주요 내용

구분	세부 내용
삼강령	1. 명명덕(明明德): 자신의 밝은 덕을 밝게 드러내야 한다. 2. 신민(新民): 자신의 밝은 덕으로 백성을 새롭게 한다. 또는 친민(親民)으로 백성과 친하게 된다. 3. 지어지선(止於至善): 최선을 다하여 가장 합당하고 적절하게 처신하고 행동한다.
팔조목	1. 격물(格物): 세상 모든 것의 이치를 찬찬히 따져 보는 것 2. 치지(致知): 지식과 지혜가 극치에 이르게 하는 것 3. 성의(誠意): 의지를 성실히 다지는 것 4. 정심(正心): 마음을 바로잡는 것 5. 수신(修身): 자신을 수양하는 것 6. 제가(齊家): 집안을 화목하게 이끄는 것 7. 치국(治國): 나라를 잘 다스리는 것 8. 평천하(平天下): 세상을 화평하게 하는 것

오경(五經)

오경(五經)이란 말은 기원전 136년, 한나라 무제가 경서를 전문으로 가르치던 관직인 오경박사를 두면서 비롯되었어요. 오경은 《시경(詩經)》《서경(書經)》《역경(易經)》《예기(禮記)》《춘추(春秋)》 이렇게 다섯 가지 경전을 가리키는데, 《춘추》와 《예기》를 제외한 《시경》, 《서경》, 《역경》을 따로 3경이라고도 해요.

- 《시경》: 중국에서 가장 오래된 시가집으로, 기원전 1100년~기원전 500년의 중국 각 지방의 민요 3천 편 중 공자가 300여 편을 추려서 편찬했다고 알려져 있어요.
- 《서경》: 중국 최초의 역사서로서 중국 고대 요순시대부터 하나라, 은나라, 주나라까지 정치에 관한 글을 공자가 수집하여 편찬했다고 해요.
- 《역경》: 점을 치는 책으로 주나라 문왕과 주공이 지었다고 알려져 있어요. 일명 《주역》이라 불리기도 해요.
- 《예기》: 주나라 예절에 대해 적은 책이에요. 공자와 그 제자들이 중요한 언행들을 기록했다고 해요.
- 《춘추》: 기원전 노나라의 은공부터 애공에 이르는 12대 242년간의 역사를 노나라 역사기록관이 연도 별로 기록한 것을 공자가 정리한 역사책이에요.

삼황오제

《성학집요》는 중국 경전의 핵심 내용을 정리한 책이기 때문에 중국 고대 역사에 대한 언급이 많아요. 역사서에 기록되어 있는 인물들은 물론, 신화나 전설 속 인물들에 대한 것도 있죠. 특히 〈성현도통〉에는 성인의 역사와 고대 왕들에 대한 설명이 담겨 있답니다. 중국의 고대 신화에 등장하는 제왕들로는 '세 명의 황(皇)과 다섯 명의 제(帝)'라는 의미의 삼황오제를 들 수 있어요. 옛날 중국을 다스리던 세 황과 다섯 제, 즉 여덟 명의 황제에 관한 전설인데, 우리가 단군왕검을 건국 시조로 삼고 역사와 전통을 자랑하듯이 중국에서는 삼황오제가 중국인들의 정신적 기둥 역할을 하고 있어요. 다만 삼황오제가 역사에 현존했던 인물이라는 뚜렷한 증거가 없기 때문에 전설로 여겨지고 있답니다.

삼황

삼황은 복희씨(伏羲氏) · 여와씨(女媧氏) · 신농씨(神農氏)를 가리키는 말로, 이들은 천지 창조 역할을 맡았던 신성한 인물로 볼 수 있어요. 삼황을 천황(天皇) · 인황(人皇 또는 泰皇) · 지황(地皇)으로 기록하기도 하죠. 사마천이 《사기(史記)》를 기술할 때 삼황에 대한 기록 없이 오제(五帝)부터 시작한 것을 보면 삼황을 전설 속 인물로 인식했던 것으로 추정해요.

- 복희씨: 태호(太昊: 큰 하늘)라 불렸으며, 얼굴은 사람이고 몸은 뱀으로 사람들에게 처음으로 물고기 잡는 법과 불을 활용하는 법을 가르쳤다고 해요.
- 여와씨: 여신으로서 복희씨의 누이이자 아내. 얼굴은 인간, 몸은 뱀. 대홍수를 극복한 뒤 서로 혼인하여 많은 자손을 퍼뜨렸다고 전해지며 진흙으로 사람을 빚어 생명을 불어넣었다고 해요.
- 신농씨: 염제(炎帝: 불꽃 임금)라고도 불린 신농은 사람 몸에 소의 머리를 가지고 있어요. 태양신이자 농업신으로 농사짓는 법을 처음으로 가르쳤고 마차와 쟁기를 만들고, 소와 말 등 가축을 길들였으며, 불로 토지를 정화하는 법을 가르쳤다고 해요.

복희와 여와는 남매이자 부부

염제 신농

상소문
조선
개혁

오제

사마천은《사기》에서 오제를 황제(黃帝), 전욱(顓頊), 제곡(帝嚳), 당요(唐堯), 우순(虞舜)으로 기록하고 있어요. 전설상의 황제인 삼황이 중국인에게 농사짓는 법과 문자, 불, 혼인제도 등을 가르쳤다면, 오제는 중국에 문화와 문명을 가르친 황제라고 할 수 있어요. 특히 오제 중에서 덕으로 중국을 통치하다, 역시 덕을 갖춘 인물에게 왕위를 물려준 요임금과 순임금은 중국 최고의 이상적인 황제로 칭송을 받고 있어요.

- 황제(黃帝): 이름은 헌원(軒轅). 목조 건물 · 수레 · 배 · 활 · 화살 · 문자를 만들어 냈고, 사람들에게 집 짓는 법과 옷 짜는 법을 가르쳤으며, 수레를 발명했어요. 글자 개념을 처음으로 도입해 천문과 역산 그리고 의료술을 시작하기도 했죠. 이민족을 몰아낸 지혜로운 군주로서 황금시대를 이끌었고, 죽어서는 신이 되었다고 믿는 사람들에 의해 도교의 시조로 추앙되기도 해요.
- 전욱(顓頊): 고양씨(高陽氏)라고도 해요. 군사적으로 많은 업적을 남기고 영토를 많이 넓혔어요.
- 제곡: 황제의 증손자. 신(辛)땅에 봉해져서 고신씨(高辛氏)라고도 해요. 전욱과는 달리 내치와 문화 발달에 치중한 제왕이었어요.
- 당요(唐堯): 익히 알고 있는 요임금. 정식 이름은 당제요(唐帝堯). 제곡의 손자로 70년간 세상을 다스렸는데, 그 기간 동안 태평성대를 이루었다고 해요. 왕위를 물려줄 사람을 찾다가 효자로 이름 높은 순에게 두 딸을 시집보내 자기 후계자로 만들었답니다.
- 우순(虞舜): 정식 이름은 우제순(虞帝舜). 어렸을 때 아버지와 계모로부터 생명의 위협을 받았으나 한결같은 효성으로 하늘을 감동시켜 새들이 논에 씨 뿌리는 일을 도와주었고, 동물들이 쟁기를 끌어 주었다는 일화로 유명해요. 왕이 된 순은 도량형을 표준화시켰고 관개사업을 시행했으며, 왕국을 12개 지방으로 나누었어요. 순임금도 아들이 아닌, 치수사업에 공이 큰 우임금에게 왕위를 물려주었답니다.

黃帝
황제

帝嚳
제곡

당요

우순

이이 성학집요

곽은우 글 | 이진영 그림

01 《성학집요》를 쓴 사람은 누구일까요?

① 이이 ② 이황 ③ 선조 ④ 이익 ⑤ 이성계

02 《성학집요》에 대한 설명으로 옳지 않은 것은 무엇일까요?

① 이이가 선조에게 바친 책이다.

② 책 제목은 '성인 또는 임금이 꼭 알아야 할 학문과 지식의 핵심을 추려서 정리하다.'라는 뜻이다.

③ 《대학》을 기본 줄기로 삼고 중국의 사서오경에서 중요한 내용만을 골라 요약했다.

④ 총 다섯 편으로 이루어져 있다.

⑤ 주제에 대한 자신의 생각을 글의 가장 앞에 두어 자신의 개인적인 의견을 강하게 주장했다.

03 유학에서는 인간이면 누구나 가지고 태어나는 아름다운 본성이 있다고 했습니다. 이에 해당하지 않는 것은 무엇일까요?

① 인(仁) ② 의(義) ③ 예(禮) ④ 지(智) ⑤ 신(信)

04 중국의 오경 중 하나인 《예기》에서는 인간의 선한 품성이 겉으로 드러날 때 나타나는 인간의 일곱 가지 감정을 '칠정(七情)'이라고 하였습니다. 칠정에 속하지 않는 것은 무엇일까요?

① 희(喜) ② 애(哀) ③ 락(樂) ④ 구(懼) ⑤ 애(愛)

05 이이가 〈수기 편〉에서 마음을 닦는 법에 대해 설명한 내용입니다. 틀린 것은 무엇일까요?

① 마음을 여유 있고 침착한 '경(敬)의 자세'로 유지하도록 노력한다.

② 타고난 선한 마음 그대로를 보존하는 것이 곧 하늘을 섬기는것이다.

③ 작은 일에 흔들리지 않는 차분함과 고요함이 항상 마음에 깃들도록 해야 한다.

④ 다른 사람을 통해 나의 마음이 고요한 상태인지를 자주 확인한다.

⑤ 마음이 한쪽으로 기울어지면 올바른 일을 할 수 없다.

06 이이는 어릴 적 어머니의 영향을 많이 받고 자랐습니다. 그의 어머니는 시와 글, 그림에 탁월한 재능을 가지고 있었고 이런 어머니에게 교육받은 덕분에 이이도 시, 글, 그림에 뛰어난 재능을 보였습니다. 조선시대 대표적인 여성 문예가이자 화가였던 이 사람은 누구일까요?

---

07 위정 편에 나타난 왕의 역할과 도리, 올바른 정치에 비추어 봤을 때, 다음 중 올바르지 않은 말을 하는 사람은 누구일까요?

① 예지: 《논어》에는 덕으로 정치를 하는 것은 마치 북극성이 제 자리에 있고 뭇 별들이 그를 향하는 것과 같다고 한 구절이 있어. 훌륭한 지도자는 북극성처럼 자신의 할 일을 묵묵히 수행해 사람들에게 나침반 역할을 해 주고, 사람들이 저절로 우러러 보게끔 해야 돼.

② 주환: 훌륭한 지도자라면 모름지기 내가 부자가 될 수 있게 도와주고 내가 사는 곳에 돈을 많이 들여 편의시설을 잔뜩 지어 줘야 해. 국민을 위해 재물을 아끼지 말아야 한다고.

③ 지나: 좋은 인재인 제갈량을 얻기 위해서 세 번이나 찾아가 사정했던 유비처럼, 좋은 인재를 알아보고 그의 지혜를 그릇 삼아 나라를 다스릴 줄 아는 사람이 훌륭한 지도자야.

④ 정준: 지도자가 스스로를 대단하다 여기며 다른 이를 하찮게 여긴다면 사람들이 가지고 있는 선함을 알아볼 수 없어. 하늘의 이치는 모든 이에게 흩어져 있기 때문에, 지도자는 천하고 귀한 사람 구분 없이 모든 이들의 지혜와 선을 하나로 합할 줄 알아야 해.

⑤ 인수: 지도자도 사람이기 때문에 개인적인 감정이 없을 순 없어. 혼자 힘으로는 이러한 사사로운 감정을 떨칠 수 없기 때문에 항상 곁에 현명한 동료와 부하를 두고 자신의 감정을 떨치도록 노력해야 해.

정답

01 ①

02 ⑤ : 이이는 사서오경에서 각 주제에 적합한 구절을 발췌해 책의 앞에 배치한 후, 주자의 해설을 싣고 그 사이사이에 자신의 견해를 끼워 넣는 방식으로 《성학집요》를 서술했습니다. 이렇게 자신의 견해를 앞세우지 않고 유교 경전과 주석으로 통해 자신의 생각을 간접적으로 드러내는 서술 방식은 고전의 말씀에 권위를 부여했던 당시 선비들의 글쓰기 방법이기도 합니다.

03 ⑤ / 04 ③

08 이이는 유학을 한마디로 ○○○○이라고 정의했다고 합니다. 이 말은 '자신을 닦고 남을 다스린다(남에게 영향을 미친다).'는 뜻으로, 혼자 있을 때도 마음가짐과 행동을 조심하는 일입니다. 무엇일까요?

09 이이가 〈수기 편〉에서 설명한 덕을 쌓는 방법 세 가지는 무엇일까요?

10 〈정가 편〉에 실린 효도에 대한 공자의 말을 토대로 여러분이 부모님이나 스승에게 어떻게 효도할 수 있을지 생각해 보세요.

- 사람의 모든 신체는 부모님에게서 물려받은 것이다. 자신의 신체를 훼손하지 않는 것이 효도의 시작이다.
- 벼슬길에 나아가 세상에 그 명성을 날려서 부모님의 이름을 드러나게 하는 것이 효도의 마지막이다.

통합교과학습의 기본은 세계사의 이해,

세계대역사 50사건

제대로 알차게 만든 교양 세계사 만화!
우리 집 최고의 종합 인문 교양서!

★서양사와 동양사를 21세기의 균형적 시각에서 다룬 최초의 역사 만화
★세계사의 핵심사건과 대표적 인물을 함께 소개해 세계사의 맥락을 짚어 주는 책
★시시각각 이슈가 되는 세계사 정보를 지식이 되게 하는 재미있는 대중 교양서

1. 파라오와 이집트
2. 마야와 잉카 문명
3. 춘추 전국 시대와 제자백가
4. 로마의 탄생과 포에니 전쟁
5.석가모니와 불교의 발전
6. 그리스 철학의 황금시대
7. 페르시아 전쟁과 그리스의 번영
8. 알렉산드로스 대왕과 헬레니즘
9. 실크 로드와 동서 문명의 교류
10. 진시황제와 중국 통일
11. 카이사르와 로마 제국
12. 로마 제국의 황제들
13. 예수와 기독교의 시작
14. 무함마드와 이슬람 제국
15. 십자군 전쟁
16. 칭기즈 칸과 몽골 제국
17. 르네상스와 휴머니즘
18. 잔 다르크와 백년전쟁
19. 루터와 종교개혁
20. 코페르니쿠스와 과학 혁명
21. 동인도회사와 유럽 제국주의
22. 루이 14세와 절대왕정
23. 청교도 혁명과 명예혁명
24. 미국의 독립전쟁
25. 산업 혁명과 유럽의 근대화
26. 프랑스 대혁명
27. 나폴레옹과 프랑스 제1제정
28. 라틴 아메리카의 독립과 민주화
29. 빅토리아 여왕과 대영제국
30. 마르크스_레닌주의
31. 태평천국운동과 신해혁명
32. 비스마르크와 독일 제국의 흥망성쇠
33. 메이지 유신 일본의 근대화
34. 올림픽의 어제와 오늘
35. 양자역학과 현대과학
36. 아인슈타인과 상대성 원리
37. 간디와 사티아그라하
38. 마오쩌둥과 중국 공산당
39. 대공황 이후 세계 자본주의의 발전
40. 제2차 세계 대전
41. 태평양 전쟁과 경제대국 일본
42. 호찌민과 베트남 전쟁
43. 팔레스타인과 이스라엘의 분쟁
44. 넬슨 만델라와 인권운동
45. 카스트로와 쿠바 혁명
46. 아프리카의 독립과 민주화
47. 스푸트니크호와 우주 개발
48. 독일 통일과 소련의 붕괴
49. 유럽 통합의 역사와 미래
50. 신흥대국 중국과 동북공정
★가이드북

김창회 외 글 | 진선규 외 그림 | 232쪽 내외